MERIAN *live!*

Londres

Heidede Carstensen

Chantecler

Scène de la vie quotidienne à Londres: le pub à l'heure du déjeuner.

SOMMAIRE

◼ Bienvenue à Londres

◼ Vivre à Londres

◼ Promenades

◼ Excursions

◼ Informations importantes

Cartes et plans
La ville de Londres: rabat avant; London Underground: rabat arrière; les environs de Londres: couverture arrière; Tower: p. 46, Londres historique et Soho: p. 92; Richmond: p. 99.

Extraordinaire! Indescriptible! J'en reste médusé et pantois! Londres est le monstre le plus beau et le plus complexe du monde.

Ces exclamations de Felix Mendelssohn Bartholdy en 1829 sont suffisamment explicites.

A première vue, Londres paraît déconcertante et chaotique. A l'instar des autres métropoles, le trafic y est de plus en plus dense, pressé et bruyant.

Ce qui frappe ensuite, c'est l'extrême diversité de sa population: en moins d'une heure, le visiteur aura l'occasion d'y croiser des femmes en sari, des Africains en costume traditionnel, des hommes en kilt et évidemment des Londoniens en complet sur mesure, vivant tous en parfaite harmonie.

Si Londres n'est plus le centre de l'Empire britannique, elle n'en demeure pas moins le cœur du Commonwealth. A Trafalgar Square, par exemple, la Canada House fait face à la South Africa House. A quelques mètres de là, on trouve une banque écossaise et une "Australian Commission". La ville se distingue également par ses innombrables monuments, qui évoquent des personnages ou des événements historiques prestigieux: Lord

London City, creuset de traditions et de modernisme

Nelson, Trafalgar Square, la statue équestre d'Oliver Cromwell devant les Houses of Parliament.

Londres, ville cosmopolite

Le caractère universel de la capitale britannique se manifeste principalement à Chinatown, avec ses restaurants, ses supermarchés et ses magasins chinois. Ou encore à Notting Hill, dont la grande majorité des habitants sont originaires de la Jamaïque, de Trinidad – les Antilles – et où ils continuent à perpétuer leurs us et coutumes. La même remarque s'applique aux immigrés pakistanais ou africains, qui ont élu domicile dans d'autres quartiers.

Impeccable jusqu'au bout des moustaches: la garde royale

La courtoisie, le remède à l'énervement

Dans cette ville, dont l'expansion incessante requiert d'énormes facultés d'adaptation de la part de ses habitants et de ses visiteurs, l'agressivité ne fait qu'accroître les tensions. C'est pourquoi on essaie de régler les problèmes de la vie quotidienne avec un flegme typiquement britannique. Les célèbres files, impassibles et disciplinées, qui se forment aux arrêts des bus (qui ne respectent jamais l'horaire), constituent un exemple qui a gardé toute son actualité. Cela ne sert à rien de s'énerver, car on gaspille son énergie et le bus sera inévitablement en retard. Resquiller dans la file (queue jumping) traduit un manque évident de savoir-vivre, qui ne manquera pas d'exaspérer le plus débonnaire et le plus flegmatique des Londoniens. Leur courtoisie et leur affabilité proverbiales (et bien réelles) leur permettent de mieux supporter les aléas de la vie quotidienne. Les petites phrases magiques, telles que "please" ou "thank you", sont très appréciées. Mieux vaut en abuser que s'en priver, que ce soit pour acheter le "Financial Times" chez le marchand de journaux ou pour héler un taxi. S'il vous arrive, par inadvertance, d'écraser les pieds de votre voisin, celui-ci s'attendra à ce que vous vous excusiez. A Londres, on trouve parfaitement normal de s'excuser, même lorsque l'on bloque ou gêne involontairement le passage d'autrui.

Cette courtoisie exquise a des effets bénéfiques sur la circulation: c'est ainsi que les automobilistes permettent volontiers aux autres conducteurs de s'intercaler dans une file d'attente. Cette politesse rend la vie quotidienne nettement plus supportable. De plus, aucun Londonien ne s'attend à ce que vous arriviez à l'heure à vos rendez-vous.

Une ville peuplée d'excentriques et d'individualistes

Londres est une ville où se lancent la mode – c'est là qu'est née la minijupe – et la musique (moderne). De la musique pop aux comédies musicales, en passant par le théâtre et l'art, Londres est une source d'inspiration constante pour le monde entier. Et pourtant, on y recherchera vainement les diktats de la mode. C'est précisément ce qui fait le charme, l'attrait et la fascination de cette ville cosmopolite: elle permet aux non-conformistes et aux excentriques de tout ordre de donner libre cours à leur créativité.

Si, en vous promenant dans King's Road, vous découvrez des résurgences de la mode des années 60, n'allez surtout pas vous imaginer que vous les verrez dans toutes les rues de Londres. Et même si les punks sont une espèce en voie d'extinction, vous ne manquerez pas de croiser l'un ou l'autre nostalgique du mouvement.

Dans quelle autre ville du monde une pièce de théâtre écrite par un journaliste aussi talentueux qu'éthylique pourrait-elle connaître le succès de "Jeffrey Bernard is unwell" au point de faire salle comble en Australie ou en Nouvelle-Zélande? Dans quelle autre ville du monde un homme d'affaires pourrait-il établir son Q.G. dans le cadre chic d'un restaurant tel que le "Fountain Restaurant" de Fortnum & Mason, où la direction mettrait une table et un téléphone à sa disposition? Adam Faith, l'ex-star de la pop, devenu depuis lors un conseiller financier très renommé, l'a fait durant de longues années.

Le patchwork londonien

Si Londres ne sombre jamais dans la monotonie, elle le doit notamment à la diversité de ses composantes. Elle s'est formée, au fil des siècles, à partir de plusieurs villages et faubourgs, qui ont réussi à préserver leur identité. Le splendide district de **Hampstead**, situé dans le nord de Londres, offre un visage totalement différent de celui que peuvent présenter, par exemple, **Chelsea**, **Camden Town**, **Islington**, **Tower Hamlet**, plus à l'est, ou encore **Greenwich**. L'architecture, les parcs et les jardins publics, la population et l'histoire des 33 boroughs (districts) diffèrent foncièrement. Visiter Londres revient donc à parcourir un grand nombre de communes intéressantes qui se distinguent tant par leur caractère que par

TOP TEN 1

Les bus à impériale et Big Ben sont indissociables du paysage londonien.

leur passé historique.

Greenwich existait déjà à l'époque romaine. Les monarques des dynasties Tudor et Stuart y établirent leur résidence en raison de la proximité de Londres. **Greenwich** doit son originalité aux majestueux bâtiments bordant la Tamise, tels que le **National Maritime Museum** et l'**Observatoire**, au **Méridien d'origine** (en 1880, l'heure G.M.T. devint la référence internationale pour le calcul du temps) ainsi qu'au **Royal Naval College**. En 799, à l'époque de la construction de la première église, **Chelsea** n'était qu'un petit village planté sur les rives crayeuses de la Tamise. Il y a quelques siècles, **Islington**, au nord, se trouvait au cœur de la forêt de Middlesex. C'était le dernier arrêt avant les remparts de Londres.

Au XIe siècle, **Camden Town** appartenait à l'Ordre de Saint-Paul. En 1749, elle passa aux mains de la famille du comte de Camden. A l'époque, la région, qui allait connaître un essor économique suite à la construction du **Regent's Canal**, n'était qu'un vaste marécage. L'histoire des quartiers situés à l'est de la ville est nettement moins romantique. Au Moyen Age, de nombreuses industries métallurgiques, dont une fonderie de cloches, s'étaient déjà établies à **Whitecapel**. C'est également ici que sont venus s'installer, au début du XXe siècle, de nombreux immigrés, principalement juifs, qui vivaient du commerce du textile. Le **Petticoat Lane Market** en témoigne encore de nos jours. **Whitecapel** et le quartier pauvre de **Spitalsfield** sont devenus tristement célèbres en raison des meurtres perpétrés au XIXe siècle par Jack the Ripper (Jack l'Eventreur).

L'histoire du quartier chic de **Knightsbridge** est fondamentalement différente. Autour de **Harrods** et de **Beauchamp Place** s'est développé un quartier commercial très fréquenté où foisonnent les magasins de luxe. Ce quartier doit son nom à deux chevaliers (**Knights**) qui se sont livré une bataille mortelle. Vers la fin du Moyen Age, les nombreuses auberges et tavernes de cette région drainaient les foules. On y vit surgir des individus louches et des pillards qui hantaient les forêts autour de **Belgravia** (actuellement le quartier des diplomates et des ambassades).

Londres, ville d'histoire

Si Londres est une destination aussi populaire, c'est parce que, plus que partout ailleurs, le touriste y a rendez-vous avec l'Histoire. Même si elle fait souvent l'objet de scandales, la monarchie britannique n'est certainement pas étrangère à ce fait. Elle symbolise le passé prestigieux de la ville, qui est la capitale de l'Angleterre depuis 884. Elle a régné durant de nombreux siècles sur un empire disséminé sur tous les continents.

L'hégémonie de jadis s'exprime

également à travers l'architecture de la ville, ses œuvres d'art, ses bâtiments, ses châteaux et ses parcs, qui marquent de leur sceau le paysage urbain. Le visiteur regrettera parfois de ne pas y trouver l'extravagance, la propension à la magnificence et au faste qu'il peut trouver en France et en Italie. Londres, et partant toute l'Angleterre, s'abstiennent du tape-à-l'œil, auquel elles préfèrent le rationalisme et le pragmatisme des grandes nations.

Les célèbres symboles de la ville que sont **St Paul's Cathedral**, **Big Ben** et le **Parlement** (Houses of Parliament), la **Tour de Londres** et le **Tower Bridge** reflètent davantage la solidité que l'extravagance idéaliste. L'"understatement" y est également de mise. Une visite des bâtiments prestigieux corrige quelque peu cette impression, car le faste se déploie souvent derrière les façades. Dans la plupart des cas, l'apparat est éblouissant. Dans la cathédrale St Paul, par exemple, on peut admirer les mosaïques qui recouvrent les voûtes du chœur qui mène à l'autel, les superbes plafonds de la nef, les piliers et les statues, sans parler des merveilles de la crypte.

Dans la **Royal Gallery** des **Houses of Parliament**, le trône royal et le Pugin Wall de la **Chambre des Lords** valent le détour. N'oublions surtout pas l'abbaye de **Westminster (Abbey)** qui peut s'enorgueillir de ses châsses, de ses sculptures et du Trône du Couronnement, pour ne citer que ces quelques curiosités. Le **British Museum** abrite des chefs-d'œuvre et des trésors artistiques venus du

Les parcs londoniens n'attirent pas que des amateurs de musique pop.

monde entier. On pourrait facilement passer quelques jours à visiter le **Victoria and Albert Museum**.

Pomp and Circumstances

Cette notion traduit la splendeur et le faste dont s'entoure la maison royale à l'occasion d'événements importants, par exemple, lors de visites officielles ou du **Trooping of the Colour**, la parade annuelle en l'honneur de l'anniversaire de la Reine, qui, pour des raisons météorologiques, a toujours lieu le deuxième samedi de juin. Cuirassiers, hussards, officiers de la garde royale, porte-drapeaux, carrosses, bonnets en poils d'ours et casques luisants, chevaux magnifiques et canons reflètent une spendeur et un faste dont seule une maison royale régnante peut encore faire montre. Le spectacle est éblouissant.

D'après les experts financiers, tout ce qui concerne la famille royale semble exercer une force d'attraction irrésistible, même sur les touristes les plus blasés. Lorsque la reine emprunte le Mall en compagnie de dignitaires étrangers, le temps semble suspendre son vol. Si les personnages changent, le parcours, les bâtiments bordant le Mall, les monuments et les carrosses, les uniformes des cavaliers et la cérémonie de l'entrée au palais demeurent immuables. Ces anciennes traditions ont quelque chose de très rassurant. C'est du moins ce qui motive l'attachement des Britanniques à la monarchie, même si la famille royale ne semble plus être ce qu'elle était: le prince Andrew et Sarah, le prince Charles et Lady Di vivent séparés. Les déboires sentimentaux de la famille royale alimentent les ragots colportés par les journaux à sensation. Le château de Windsor a été sérieusement ravagé par les flammes. De guerre lasse, la reine n'hésita pas à qualifier l'année 1992 de "annus horribilis".

D
epuis mai 1994, les transbordeurs et les aéroglisseurs subissent la concurrence des T.G.V.

Peu importe l'endroit où vous débarquez sur le territoire britannique (Douvres, Folkestone ou Harwich, ou aux aéroports de Gatwick ou d'Heathrow), vous devez toujours être muni d'une pièce d'identité (passeport, visa ou carte d'identité).

Même si le 1 janvier 1993 a vu la suppression officielle des contrôles douaniers, la Grande-Bretagne s'est réservé le droit d'effectuer des contrôles sporadiques. Les ressortissants de la Communauté européenne doivent emprunter les sorties de couleur bleue qui leur sont réservées.

En voiture

Embarquez à Calais, Ostende, Zeebrugge, Dunkerque ou Boulogne à destination de Douvres ou de Folkestone, qui se trouvent à 120 km du centre de Londres. Il existe également des liaisons maritimes au départ de Cherbourg, Dieppe, Le Havre, etc.

La durée de la traversée varie entre 35 minutes (aéroglisseur

Victoria Station, carrefour de Londres

BIENVENUE À LONDRES

Calais-Douvres) et quatre heures (transbordeur Ostende – Douvres). Il y a également le jetfoil au départ d'Ostende.

Vous pouvez aussi emprunter l'Eurotunnel (voiture chargée sur navette ferroviaire)

En train

Les principales gares françaises et belges assurent des liaisons régulières avec Londres. Les trains en provenance de Harwich arrivent à la gare de Liverpool Street. Les voyageurs en provenance de Douvres descendent à la gare de Victoria.

En bus

Votre agent de voyage pourra vous donner tous les renseignements relatifs aux horaires des bus au départ des principales villes.

A bicyclette

Emporter sa bicyclette ne pose aucun problème. A l'arrivée, il suffit de promettre au préposé de la ramener en quittant le pays. Pour la traversée de la Manche, il vous en coûtera environ £ 5. C'est parfois gratuit. Vous pouvez également emmener votre bicyclette en avion. Dans ce cas, il faut veiller à dégonfler légèrement les pneus afin d'éviter leur éclatement suite à la décompression qu'ils subissent dans la soute à bagages.

En avion

Les principaux aéroports assurent des vols directs et quotidiens avec Londres. Les avions de ligne atterrissent généralement à **Heathrow**, les charters à **Gatwick**.

Le trajet
aéroport – centre ville

Un taxi de l'aéroport d'**Heathrow** à Londres coûte ± £ 34.50. Le trajet dure environ 40 minutes. En métro, (ligne Piccadilly), il vous en coûtera ± £ 2.80, durée: 50 minutes. Comme les embouteillages sont monnaie courante à Londres, le métro représente incontestablement le moyen le plus rapide et le plus facile d'atteindre le centre ville. Il y a un métro toutes les cinq minutes. Il s'arrête à chacun des quatre terminus. Les arrêts sont clairement signalés au moyen de panneaux. Toutes les vingt minutes, un "Airbus" emmène les passagers à destination de Victoria Station ou de Euston Station. Le trajet coûte ± £ 5.50 et dure 75 minutes.

Au départ de l'aéroport de **Gatwick**, le taxi coûte ± £ 60.50. La durée est de 75 minutes. Tous les quarts d'heure, le train GATWICK EXPRESS emmène les voyageurs à Londres-Victoria Station. Le trajet coûte £ 8.60.

Rouler à gauche et dépasser à droite ne sont pas chose aisée, mais avec un peu de patience et beaucoup de prudence, on s'y habitue rapidement.

Les Londoniens se montrent généralement très compréhensifs à l'égard des automobilistes étrangers. Les services de réparation proposés par les associations automobiles britanniques **AA**. (Automobile Association) ou **RAC** (Royal Automobile Club) sont en général très compétents et très serviables. Ces associations ayant conclu des accords d'assistance bilatéraux, les automobilistes belges et français bénéficient automatiquement des services offerts par l'AA et la RAC. Il est également possible de s'affilier auprès de ces associations pour la durée des vacances.

Le code de la route

Outre la conduite à gauche, la Grande-Bretagne se distingue par quelques particularités. Aux ronds-points (**roundabouts**), il faut respecter la priorité à droite. On s'arrête devant les passages protégés dès qu'un piéton s'y engage. Pour signaler l'intention de dépasser ou de tourner, on utilise ses clignoteurs ou on

Les légendaires taxis noirs londoniens sont une véritable attraction.

fait des **hand signals,** ce qui consiste à sortir le bras par la fenêtre pour indiquer la direction que l'on compte emprunter.

Le stationnement

Comme dans toutes les capitales du monde, il n'est pas aisé de trouver des aires de stationnement gratuites. Les parcmètres sont très chers, mais une amende pour stationnement interdit revient encore plus cher: £ 30. Si vous vous garez dans un endroit interdit, le long d'une double ligne jaune ou sur les zigzags tracés de part et d'autre des passages protégés, vous risquez de retrouver votre voiture immobilisée par un sabot. Il vous en coûtera £ 95.

Le bus

Près de 4 000 célèbres bus à impériale parcourent plus de 600 lignes. Malheureusement, il leur est impossible d'être ponctuels en raison des inévitables embouteillages londoniens. En revanche, ils permettent aux touristes de mieux découvrir la ville.

Les arrêts de bus sont indiqués au moyen d'un panneau blanc bordé d'un cercle rouge avec la mention **"Bus stop"** où le bus s'arrête toujours. **"Stop on request"** signifie que l'arrêt est facultatif. Pour descendre à l'arrêt suivant, il suffit de donner un coup de sonnette.

Métro

Le "Tube" est incontestablement le moyen de transport le plus rapide à Londres. Le réseau métropolitain s'étend sur plus de 400 kilomètres. Il est représenté sur un plan multicolore (voir rabat arrière). Les stations de métro sont indiquées au moyen de panneaux entourés de rouge avec mention du nom de la station.

En semaine, le métro circule entre 5 h 30 et 24 heures; le dimanche, entre 7 h 30 et 23 h 30. Les tickets s'obtiennent aux guichets ou aux distributeurs.

Le contrôle s'effectue en fin de trajet, au moment où vous quittez la station de métro. Introduisez le ticket dans la barrière automatique ou remettez-le à l'employé.

Les abonnements à la journée ('One Day Travelcard' valable pour le bus et le métro, £ 2.50) ou à la semaine (dont les prix varient en fonction de la zone) permettent de réaliser des économies non négligeables.

Taxis

Comme les stations de taxi sont relativement rares, il faut héler les taxis. Si le taxi affiche **FOR HIRE,** il est libre. Un supplément est réclamé pour les bagages. Plus économiques, les "mini-cabs" deviennent de plus en plus populaires. Il est indispensable de les réserver par intermédiaire de l'hôtel.

Parce que Londres passe pour être la ville la plus chère du monde, le prix des hôtels y est en proportion. Dans les hôtels bon marché, on doit se satisfaire de moins.

Le flot ininterrompu de touristes qui se déverse sur Londres a deux conséquences: le manque chronique d'hôtels et l'augmentation annuelle des prix déjà disproportionnés. De nombreux hôtels offrent toutefois des tarifs de week-end (week-end rates), mais la manière la plus économique de voyager consiste à opter pour la formule "charter" qui comprend à la fois le voyage et le logement.

Pour un séjour prolongé, il vaut mieux s'informer sur les prix des **holiday flats**, des appartements meublés disposant d'un coin cuisine et de plusieurs chambres.

Si vous êtes du genre indépendant, préférez les **B & B** (Bed & Breakfast ou chambres d'hôtes) ou encore les **guest-houses**, de plus en plus populaires. Ces pensions de famille proposent d'excellents services, par exemple la garde de vos enfants. Situées dans le centre ville, elles vous permettent d'éviter les onéreux déplacements en taxi.

Il est fortement recommandé de réserver partout (hôtel, pension, B & B, hostel (auberge de jeunesse, plusieurs lits dans la même chambre). Le petit déjeuner n'est généralement pas compris dans le prix. Aux prix indiqués, il convient d'ajouter 17% de T.V.A. (**V.A.T.**). Dans une **double room**, le lit a généralement une largeur de 1,80 m. Dans une **twin room**, vous trouverez des lits jumeaux. Le **four poster** (lit à baldaquin) revient à la mode.

A l'heure du petit déjeuner, vous avez le choix entre l'**English Breakfast** ou le **Continental Breakfast** Jambon frit, tomates et champignons, kippers (poisson fumé), l'incontournable œuf brouillé, toasts, marmelade d'orange, café ou thé (servi avec une théière d'eau), lait et différentes sortes de sucre figurent au menu du petit déjeuner anglais.

Catégories de prix

Les prix indiqués sont valables pour une nuit dans une chambre de deux personnes, petit déjeuner non compris.

Classe de luxe: à partir de £ 220
Classe de prix élevée: à partir de £ 180
Classe de prix moyenne: à partir de £ 75
Classe de prix inférieure: à partir de £ 40

BIENVENUE À LONDRES

The Academy Hotel ■ D2/D 3

Situé au cœur de Bloomburry, le quartier des écrivains célèbres, tels Virginia Woolf. A proximité de l'université et du British Museum. Excellente correspondance avec le West End, Covent Garden et Oxford Street.
17-21 Gower Street, W C 1
Tél. 071/6 31 41 15
Métro: Goodge Street
38 chambres
Classe de prix moyenne

Albert Hotel ■ A 4 / A 5

Hôtel avant tout destiné aux jeunes (on y trouve des chambres à neuf lits). L'hôtel dispose également de chambres simples et doubles. A proximité de Hyde Park.
191 Queensgate, SW 7
Tél. 071/ 5 84 30 19
Métro: Gloucester Road
12 chambres
Classe de prix inférieure

Aster House Hotel ■ B 5

Petit hôtel particulier, Bed & Breakfast situé entre South Kensington et Chelsea. La maison a obtenu diverses distinctions, tels que le "London in Bloom Award " et le "Bed & Breakfast Award" décernés par la "London Tourist Authority".
3 Summer Place, SW 7
Tél. 071/5 81 58 88
Métro: South Kensington
12 chambres
Classe de prix inférieure

Blakes Hotel ■ A 5

Cette maison met un point d'honneur à donner aux hommes d'affaires internationaux un "Home Away from Home". Style, raffinement, confort et service incomparables. Dans les chambres les tons noir, saumon, gris et blanc s'harmonisent parfaitement avec les spendides antiquités, meubles d'art et objets rares en provenance d'Inde, du Pakistan et d'Asie. De nombreuses personnalités internationales dont Karl Lagerfeld, Robert de Niro, Michael Douglas et les couturiers Armani et Lacroix descendent au Blakes lorsqu'ils sont de passage à Londres.
33 Roland Gardens, SW 7
Tél. 071/3 70 67 01
Métro: South Kensington
52 chambres
Classe de luxe

Basil Street Hotel ✗ ■ B 4 / B 5

Idéal pour les touristes qui viennent faire leurs achats à Londres, l'hôtel se situe à quelques minutes à pied des célèbres magasins Harrods et Harvey Nichols. Intime, pas trop grand, service parfait. Service de garde d'enfants. On y trouve même des bigoudis.
8 Basil Street, Knightsbridge, SW 3
Tél. 071/5 81 33 11
Métro: Knightsbridge
93 chambres
Classe de prix moyenne

Dorset Square Hotel ■ B 2

Tout le charme et le confort de l'hospitalité anglaise. Papier peint à fleurs et larges lits (à baldaquin). Parking privé, Bentley avec chauffeur sur demande. Excellent restaurant dans l'hôtel.
39-40 Dorset Square, NW 1
Tél. 071/7 23 78 74
Métro: Baker Street
37 chambres
Classe de prix moyenne

Duke's Hotel ■ C 4

Situé dans le quartier de St-Jacques, cet hôtel répond aux exigences les plus sévères: foyer, lambris en bois, excellent service. Parfois, on y entend même encore les cornemuses de Buckingham Palace.

A proximité de Green Park et de St James's Park.
St-Jacques's Place, SW 1
Tél. 071/4 91 48 40
Métro: Green Park
64 chambres et suites
Classe de luxe

Eden Park Hotel
Près de Hyde Park. Le dimanche, les artistes viennent accrocher leurs œuvres aux grilles du parc. Excellente ambiance se prolongeant très tard dans la soirée.
35-39 Iverness Terrace, W 2
Tél. 071/2 21 22 20
Métro: Bayswater
137 chambres
Classe de prix moyenne

Eleven Cadogan Gardens   ■ B 5
Cet hôtel difficilement identifiable de l'extérieur est très prisé par les touristes en quête de quiétude. Même s'il a tout d'une demeure de style victorien, il offre un service somptueux.
11 Cadogan Gardens, SW 3
Tél. 071/7 30 34 26
Métro: Sloane Square
61 chambres
Classe de prix élevée

Five Sumner Place Hotel ✱ ■ B 5
On s'y sent vraiment chez soi. On reçoit la clé de la maison et on peut aller et venir à sa guise. Le Royal Albert Hall, le National History Museum et le Science Museum se trouvent à quelques pas.
5 Sumner Place, SW 7
Tél. 071/5 84 75 86
Métro: South Kensington
14 chambres
Classe de prix moyenne

Fielding Hotel   ■ D 3
Petit et étroit, dans une vieille demeure située au cœur de Covent Garden, le quartier des artistes. Le

Toujours poli et serviable:
le portier de l'hôtel

copieux petit déjeuner est compris dans le prix.
4 Broad Court, WC 2
Tél. 071/8 36 83 05
Métro: Covent Garden
26 chambres
Classe de prix inférieure

Frognal Lodge Hotel
Situé dans l'idyllique Hampstead, dans le nord de Londres, où sont venus s'installer des célébrités de la presse, de la télévision, du théâtre et des arts. Les enfants y sont les bienvenus.
14 Frognal Gardens, NW 3
Tél. 071/4 35 82 38
Métro: Hampstead
18 chambres
Classe de prix inférieure

The Halkin Hotel   ■ C 4
La stylique italienne, les lignes austères, le marbre et les décors

BIENVENUE À LONDRES

sobres y sont dominants.
La "Reuter Room" est équipée de télécopieurs, télex et téléphones, ce qui ne manquera pas de plaire aux hommes d'affaires.
Le service et le restaurant sont remarquables.
5 Halkin Street, SW 1
Tél. 071/3 33 10 00
Métro: Hyde Park Corner
41 chambres
Classe de luxe

Hotel 167　　　　　　■ A 5, B 5
Situation centrale. Très confortable. Service personnalisé. Chaque chambre possède son style particulier.
167 Old Brompton Road, SW 5
Tél. 071/3 73 32 21
Métro: South Kensington
19 chambres
Classe de prix inférieure

Knightsbridge　　　■ B 4, C 4
Green Hotel
Au cœur du paradis du shopping, à proximité de Harrods, Harvey Nichols, The Scotch House et Beauchamp Place. L'hôtel se compose principalement de petites suites élégantes.
159 Knightsbridge, SW 1
Tél. 071/5 84 62 74
Métro: Knightsbridge
24 suites et chambres
Classe de prix moyenne

Langham Court Hotel　■ C 3
Allie le charme d'un ancien hôtel de style victorien avec une gestion résolument moderne.
Les restaurants et le bar de l'hôtel garantissent la réussite totale du séjour.
31-35 Langham Street, W 1
Tél. 071/4 36 66 22
Métro: Oxford Circus
60 chambres
Classe de prix moyenne

Pembridge Court Hotel
Dans cet hôtel bien géré, situé à proximité de Portobello Road, on se sent immédiatement à l'aise.
34 Pembridge Gardens, W 2
Tél. 071/2 29 99 77
Métro: Notting Hill Gate
25 chambres
Classe de prix moyenne

Regent Palace Hotel　　■ D 3
Même si cet immense hôtel ressemble davantage à un hall de gare, sa situation centrale et ses prix démocratiques plaident en sa faveur.
Piccadilly Circus, W 1
891 chambres
Classe de prix inférieure

La Réserve
Aménagement moderne et austère, influences orientales et couleurs vives. Confortable.
Bonne cuisine.
422-428 Fulham Road, SW 6
Tél. 071/3 85 85 61
41 chambres
Classe de prix moyenne

Rushmore Hotel
Bel hôtel, aménagement moderne et original.
Situé dans le quartier d'Earl Court qui se distingue nettement par son caractère international et son ambiance de bazar.
11 Trebovir Road, SW 5
Tél. 071/3 70 38 39
22 chambres
Classe de prix inférieure

St James's Court　　　■ C 4
Ce complexe hôtelier fut construit au début du siècle pour accueillir les hôtes de la famille royale. Rien d'étonnant dès lors que le luxe y soit omniprésent.
Buckingham Gate, SW 1
Tél. 071/8 34 66 55
Métro: St Jacques Park

400 chambres, 80 appartements
Classe de luxe

Sydney House Hotel ■ B 5

Chaque chambre est aménagée dans un style différent: mexicain, parisien, chinois ou indien. D'authentiques Hockney, Erte, Miró et Fragonard traduisent un amour sincère et une connaissance réelle des arts.
9-11 Sydney Street, SW 3
Tél. 071/3 76 77 11
Métro: South Kensington
21 chambres

Hôtels dans les environs

Falstaff Hotel

Arrêtez-vous dans cette demeure du XIVe siècle à l'occasion d'un voyage de plusieurs jours à Canterbury.
St Dunstans Street
Canterbury, Kent
Tél. 02 27/46 21 38
23 chambres
Classe de prix moyenne

The Feathers

Joyau perdu dans la campagne, à Woodstock, à environ 12 km au nord-ouest d'Oxford.
Market Street, Oxfordshire
Tél. 09 93/81 22 91
17 chambres
Classe de prix moyenne

Oakley Court

Lambris en bois et splendide bibliothèque. Ambiance authentique. Ce bel hôtel dispose d'un restaurant et d'un golf.
Windsor Road, Windsor, Berkshire
Tél. 06 28/7 41 41
92 chambres
Classe de prix moyenne

The Petersham Hotel

Cette demeure campagnarde de style victorien, modernisée avec beaucoup de goût, se trouve à proximité de Richmond Park. Installée au pied de Richmond Hill, elle offre une vue originale sur la Tamise.
Nightingale Lane, Richmond, Surrey
Tél. 081/9 40 74 71
Métro: Richmond
54 chambres
Classe de prix moyenne

STOP

The Stafford Dans cette demeure historique et chargée de traditions, située à proximité de l'ancien palais royal de St James's, le véritable style anglais est toujours dominant. Les anciennes écuries, le "Carriage House" abritent actuellement de splendides suites. Le restaurant se trouve dans les anciennes caves à vin. Dans le restaurant et le bar américain, le service est parfait. Connaissez-vous d'autres endroits où vous disposez d'un peignoir, d'un sèche-cheveux, d'un coffre-fort individuel et même d'une paire de pantoufles? St James's Place, SW 1. Tél. 071/4 93 01 11, métro: Green Park, 74 chambres. Classe de luxe ■ C4

Londres abrite un tel nombre de trésors historiques, artistiques et architectoniques qu'il faut plusieurs séjours pour découvrir la ville.

"The man who is tired of London is tired of life." Voilà ce qu'affirmait, en 1769, Dr. Samuel Johnson, le linguiste et critique littéraire anglais. Cette phrase n'a rien perdu de sa force, car Londres a réussi à conserver son charme irrésistible au fil des siècles. Plus les contrastes entre l'ancien et le nouveau s'accentuent, plus le pouvoir d'attraction de Londres semble augmenter.

Traditions et nouvelles impulsions

Des ruines de l'époque romaine rappellent l'origine de Londres, il y a quelque 2 000 ans. De nombreux bâtiments ont été érigés après le "Grand Feu" de 1666, qui ravagea principalement le centre de Londres. Grâce à des chefs-d'œuvre tels que St Pauls Cathedral ou la splendide Regent Street, de grands architectes dont sir Christopher Wren ou John Nash ont marqué la ville cosmopolite de leur sceau. Mais l'époque contemporaine ne demeure pas en reste: le très controversé **Canary Wharf** a été implanté dans les **Docklands**, le centre des affaires, laminé par la crise financière internationale; les **Floodbarriers** doivent protéger le bassin de la Tamise des inondations; **The Arch**, l'immeuble de bureaux le plus moderne de Londres, a été construit à Hammersmith. A la Tate Gallery, une vaste exposition consacrée aux œuvres de Turner côtoie les chefs-d'œuvre de la sculpture moderne.

Les mêmes contrastes saisissants s'observent dans les petites galeries d'art de Mayfair ou de Bondstreet. Implanté à Islington, le Business Design Center a une vocation expérimentale. Contrairement à ce que son nom semble indiquer, on y organise des expositions consacrées à l'art et au design contemporains.

Dans le West End, un vent nouveau et avant-gardiste souffle sur le théâtre londonien. Au hasard de la visite d'un pub, on découvre un "Fringe Theatre" (théâtre expérimental, théâtre d'avant-garde), comme c'est le cas au "King's Head" à Islington ou au "Latchmere" à Battersea. Le touriste attentif pourra observer les Londoniens dans le cadre de leurs activités quotidiennes en visitant les studios de la radio ou de la télévision, le Stock Exchange (la Bourse) ou les grands marchés financiers, même si l'éventail des possibilités a été considérablement réduit pour des raisons de sécurité.

Canary Wharf, dans les Docklands: le plus haut immeuble d'Angleterre

VIVRE À LONDRES

Admirality Arch ◼ D 4

Erigé en 1910 dans l'enthousiasme du réaménagement du Mall (actuellement revêtu d'une couche d'asphalte rouge), cet arc de triomphe fut construit par sir Asthon Webb en souvenir de la reine Victoria. Les voitures circulent sous les deux arcs latéraux, les splendides grilles en fer forgé de l'arc principal ne s'ouvrant que pour laisser passer les monarques.
The Mall/Spring Gardens, SW 1
Métro: Charing Cross

Albert Memorial ◼ A 4

Le monument dédié au prince consort défunt fait face au Royal Albert Hall. Il fut construit par sir George Scott à la demande de sa veuve, la reine Victoria. La gigantesque statue, qui représente un prince consort assez apathique, trône dans un splendide monument gothique, le plus grand de Londres. Le soubassement, qui rassemble un grand nombre de statues finement détaillées et exubérantes de marbre, de granite, de bronze et de pierres semi-précieuses, est un ravissement pour les yeux. Les quatre coins du socle symbolisent les continents.
South Carriage Drive/Kensington Gore, SW 7
Métro: South Kensington

Apsley House ◼ C 4

La première maison bourgeoise de Piccadilly est appelée "No 1, London".
Construite entre 1771 et 1778 par Robert Adam pour le compte du baron Apsley, elle fut acquise en 1807 par Lord Welleswey, le frère aîné de Wellington, avant d'être finalement vendue en 1817 au duc de Wellington, le plus grand propriétaire terrien d'Angleterre.
149 Piccadilly, W 1
Métro: Green Park

Banqueting House ◼ D 4

L'unique vestige de Whitehouse, l'ancien palais royal londonien qui servit de résidence aux souverains anglais entre 1530 et 1698. La construction, achevée en 1622, constitue le point d'orgue de l'œuvre d'Inigo Jones, qui permit d'asseoir le style de la Renaissance italienne (autres immeubles palladiens: **Queen's House** à Greenwich et **Covent Garden**).
Le splendide plafond représente l'Apothéose de Jacques I. Son fils, Charles I, la commanda au peintre flamand Rubens en 1635. Ce dernier reçut 3 000 livres et fut anobli. En 1649, Charles I traversa la salle ornée de ce plafond baroque pour se rendre à son exécution.
Whitehall, SW 1
Tél. 071/9 30 41 79
Métro: Westminster
Lu-sa 10 h – 17 h
Entrée: £ 2.75, enfants £ 1.90
Banqueting House n'étant pas accessible durant les expositions, il est recommandé de téléphoner avant de s'y rendre.

Barbican ◼ F 3

"The Barbican Centre" figure parmi les travaux de reconstruction les plus importants d'Angleterre. Le chef-d'œuvre architectonique se compose de tours d'habitation, d'appartements, de services municipaux, de 3 cinémas, de 2 théâtres, d'un palais des congrès, de galeries d'art, de bibliothèques, de cafés, d'une banque, d'une aire réservée au théâtre en plein air ou aux concerts. Il s'étend sur une surface de 24 hectares. Ce quartier, qui abritait autrefois des industries textiles et des imprimeries, fut complètement détruit durant la Seconde Guerre mondiale. En 1972, la reine posa la première pierre de ce projet audacieux. Dix ans plus tard, elle dévoila la plaque commémorative.

Ce complexe hypermoderne est situé (comme la plupart des curiosités londoniennes) à proximité du **London Wall**, (deuxième siècle) les remparts qui entouraient la ville à l'époque romaine. Près de là se trouve la petite église de **St-Giles-Cripplegate** (Wood Street) datant du XVe siècle, où Oliver Cromwell se maria en présence de Shakespeare.
Silk Street/Whitecross Street, EC 2
Tél. 071/6 38 41 41
Métro: Barbican
Uniquement visites de groupes à partir de 10 personnes (£ 3.50 par personne), réservation obligatoire.

BBC
Inaccessible au public. Les visites ont lieu sur demande préalable auprès de "British TV Licence Holders". Il est inutile de s'adresser au "Visitor's Unit".

Bevis Marks Synagogue
Cette synagogue, également appelée "The Spanish and Portuguese Synagogue" date de 1700 et séduit le visiteur par son style exubérant. Les fenêtres sont splendides et les lustres en bronze ont été fabriqués à Amsterdam.
Heneage Lande, EC 3
Métro: Aldgate

Billingsgate Fish Market
Il y a quelques années, ce marché typique de l'East-End quittait son emplacement initial au London Bridge pour s'établir aux West India Docks. Le plus grand marché au poisson de Londres est particulièrement vivant, mais il se trouve assez loin du centre ville.
Trafalgar Way, E 14
Métro: Canary Wharf ou Black Wall
Ma-sa 5 h 30 – 8 h 30

Brixton Market
Intéressant en raison de son ambiance typiquement antillaise et son vaste choix d'épices, de viandes et de légumes exotiques. La foule bigarrée des commerçants (originaires de la Jamaïque et de Trinidad) et des clients se balance au rythme du reggae. Outre des aliments, on y trouve des disques, des vêtements et des articles ménagers.
Atlantic Road, SW 9
Métro: Brixton
Tous les jours sauf le me et le di 8 h – 18 h

Buckingham Palace ■ C 4
La résidence officielle de la famille royale. Buckingham House, le manoir initial construit en 1703 pour le duc de Buckingham, fut progressivement absorbé dans ce qui allait devenir Buckingham Palace tel que nous le connaissons actuellement. En 1837, la reine Victoria décida d'en faire la résidence royale. La façade actuelle ne date que de 1913. Depuis août 1993, le château est accessible d'août à septembre. L'argent servira à payer la restauration du château de Windsor partiellement détruit par l'incendie de 1992.
La Queen's Gallery et les Royal Mews (écuries royales) sont ouvertes toute l'année, sauf durant les visites officielles.
Métro: Hyde Park Corner
Queen's Gallery
Buckingham Gate, SW 1
Ma-sa 10 h – 17 h, di 14 h – 17 h
Entrée: £ 3, enfants £ 1.50
Royal Mews
Buckingham Palace Road, SW 1
29 mars-29 sept, ma-je (5 oct-21déc. uniquement le me) 12 h – 16 h
Entrée: £ 3, enfants £ 1.50
Buckingham Palace
Buckingham Palace Road, SW 1

La grille d'entrée de Buckingham Palace, la résidence officielle de la famille royale.

Tous les jours 9 h 30 – 17 h 30
du 7 août au 2 oct
Entrée £ 8.00

Canary Wharf

Une tour de 265 mètres symbolise Canary Wharf, le vaste et récent centre d'affaires.
Malheureusement, la terrasse du 50e étage n'est plus accessible au public en raison des attentats à la bombe qui frappent régulièrement Londres. Au rez-de-chaussée, l'exposition consacrée aux travaux de construction vaut certainement le détour.
Canary Wharf Tower
Docklands, SE 14
Métro: Poplar

Chapel Royal of St John ■ F 4

Construite vers 1085, la plus ancienne église de Londres se trouve dans la Tour Blanche de la Tour de Londres.

Tower of London, EC 3
Métro: Tower Hill
Mars-oct, lu-sa 9 h 30 – 17 h 45, di 14 h – 17 h 45, nov-fév, lu-sa 9 h 30 – 16 h

Chelsea ■ B 6

Entre Kensington et la Tamise se trouve Chelsea, l'un des quartiers les plus huppés de Londres. Les cottages bordant les rues qui débouchent dans King's Road lui donnent une certaine allure champêtre. Depuis le XVIIIe siècle, des générations successives d'acteurs, de peintres et d'auteurs choisissent de vivre à Chelsea, ce qui lui donne un air de bohème. Oscar Wilde, le peintre Jacques McNeil Whistler, les préraphaélites Dante Gabriel Rossetti et Eduard Burne-Jones, les Américains Henri Jacques et Jack London y ont vécu. Chelsea Harbour est un nouveau quartier résidentiel, mieux connu sous l'appellation à peine exagérée de "Yuppie Playground".

Chelsea Physic Garden ■ B 6

Le plus ancien jardin botanique de Londres fut aménagé en 1673 par la guilde des apothicaires. Actuellement, on continue à y cultiver des espèces végétales rares ou menacées de disparition.
Royal Hospital Road, SW 3
Métro: Sloane Square
Me et di 14 h – 17 h de mi-avril à mi-octobre

Cleopatra's Needle E 3

L'obélisque en granite rose se dressant sur les rives de la Tamise est gravé d'inscriptions égyptiennes datant de l'époque de 1500 avant J.- C. Il n'a donc rien à voir avec Cléopâtre. Il fut offert par l'Egypte à la Grande-Bretagne en 1819. Il occupe son emplacement actuel depuis 1878. Un obélisque

24

identique se trouve à Central Park à New York.
Victoria Embankment, WC 2
Métro: Embankment

Commonwealth Institute

Créé en 1962 aux fins de doter l'unique institut du Commonwealth britannique. Le bâtiment en soi est remarquable: toiture verte en cuivre, petites tourelles élancées, lignes harmonieuses. Initialement destiné aux représentants des pays du Commonwealth, c'est actuellement un lieu de rencontre important, regroupant une vaste bibliothèque, un cinéma et un restaurant. Des expositions sont consacrées aux pays membres.
230 Kensington High Street, W 8
Tél. 071/6 03 45 35
Métro: Kensington High Street
Lu-sa 10 h – 17 h
Di 14 h – 17 h

Covent Garden ■ D 3 (The Piazza)

Avec ses innombrables magasins, boutiques, wine-bars et snack-bars, il draine une foule de jeunes et d'artistes, jongleurs, musiciens, clowns ou acteurs improvisés qui attirent à leur tour de nombreux badauds. La Piazza est issue des halles de l'ancien marché du Covent Garden. Elle fut préservée en raison de sa valeur architecturale lorsqu'il fut décidé de transférer les marchés aux légumes et aux fleurs dans une autre partie de la ville.
Covent Garden, WC 2
Métro: Covent Garden

TOPTEN 8

Cutty Sark

Lancé en 1869, le très célèbre troismâts ramena durant plusieurs dizaines d'années le thé et les épices d'Extrême-Orient en Angleterre.
Dans la cale, une exposition relate l'histoire du navire.
A quelques encablures de là se trouve le Gypsy Moth IV, qui emmena sir Francis Chichester autour du monde en 1966. Les

Chelsea, le quartier où se mêlent l'élégance et la bohème

deux navires sont ancrés à Greenwich.
Métro: Greenwich
Lu-sa 10 h – 18 h
Di 12 h – 18 h,
en hiver jusque 17 h
Entrée: £ 3.25, en famille: £ 8.

Downing Street   ■ D 4

Depuis 1735, le n° 10 est la résidence officielle de tous les Premiers ministres britanniques. Sir Robert Walpole, le premier Premier ministre anglais, reçut cet immeuble très simple, au demeurant très sobre (l'intérieur de la maison contraste avec sa façade austère) des mains du roi George II. L'étroite Downing Street mène de White Hall au St Jacques Park. Elle héberge également la résidence du ministre des Finances (n° 11).
Malheureusement, il est impossible d'arriver jusqu'au n° 10 car, pour des raisons de sécurité, la police boucle la lourde grille de fer forgé donnant accès au cul-de-sac de Downing Street.

Eros Fountain   ■ C 3, D 3

Construite en 1893 par Alfred Gilbert, la fontaine surmontée de la statue d'Eros, qui est la mascotte de Londres, se situe à proximité du célèbre Piccadilly Circus, le "nombril de l'empire britannique". En 1988, elle fut déplacée de 13,5 m vers le sud pour améliorer la fluidité de la circulation.
En janvier 1993, suite à quelques travaux de restauration, la fontaine qui était à peine rénovée disparut une nouvelle fois.
Métro: Piccadilly Circus

Grand Union Canal

Durant l'ère industrielle, ce canal reliait Londres aux West Midlands anglais, la région autour de Birmingham.
Le transport fluvial assurait un bon acheminement des marchandises. A Londres, ce canal s'appelle Regent's Canal.
Des bateaux emmènent les visiteurs vers l'idyllique **Little Venice**, vers **Regent Park** et son jardin zoolo-

Covent Garden, où convergent touristes et Londoniens

gique et jusque **Camden Lock**, dévoilant ainsi les charmes peu connus de Londres et des Londoniens qui vivent dans des maisons flottantes ou qui font de petites excursions d'écluse en écluse.

Gray's Inn ■ D 3, E 3

Depuis le XIVe siècle, Gray's Inn, une des quatre écoles de droit, se situe entre High Holborn et Theobald's Road.
Les bâtiments entourent un splendide carré de jardins, au centre duquel se trouve une statue de Francis Bacon (1561 – 1626), ancien membre de la Cour de justice et homme d'Etat de la période élisabéthaine.
En 1594, Shakespeare y joua la première de la "Comédie des Erreurs".
High Holborn, WC 1
Tél. 071/4 05 81 64
Métro: Holborn
Par mesure de sécurité, les bâtiments ne sont pas accessibles au public.
Pour visiter les jardins, il faut une autorisation préalable.

Grosvenor Square ■ C 3

Le square, aménagé entre 1720-1725, est dominé par l'ambassade américaine (construite en 1958-1961 par Eero Saarinen). Le carré est la propriété de Gerald de Westminster, dont les ancêtres ont toujours refusé de vendre ce coin de Londres, et qui ont toujours préféré le louer. Au milieu du square se trouve la statue de Franklin D. Roosevelt (1948, Reid Dick).
Durant la Seconde Guerre mondiale, le général Dwight D. Eisenhower séjourna dans la maison située au n° 20 W1.
Métro: Bond Street

Guildhall ■ F 3

Depuis presque 1 000 ans, l'hôtel de ville est le siège de la puissante "Corporation of the City of London". La façade actuelle fut réalisée en 1788-1789 par George Dance en style gothique flamboyant. Le **Hall d'Entrée** et le **Grand Hall** datent toutefois du XVe siècle. Les statues des géants Gog et Magog valent le détour, ainsi que la crypte du XVe siècle et ses voûtes. La bibliothèque située dans l'aile droite compte d'innombrables livres, documents et manuscrits, véritables témoins de l'histoire de Londres. Le Guildhall abrite le **Clock Museum** de la guilde des horlogers. On y trouve de jolies horloges allemandes du XVe siècle et une horloge macabre, en forme de tête de mort, datant de 1600, et qui, selon la tradition, aurait appartenu à Marie Stuart.
Gresham Street, EC 2
Tél. 071/6 06 30 30
Métro: St Paul's
Lu-ve 10 h – 17 h

Clock Museum

Lu-ve 10 h – 17 h
Sur demande
Entrée gratuite

Hampstead Heath (et Parliament Hill)

Point culminant de Londres, ce parc sauvage s'élève à 145,5 mètres au-dessus du niveau de la mer. Bruyères (piétinées), bosquets, cerfs, étangs et sentiers font que les Londoniens aiment à s'y retrouver le dimanche. En 1588, cette colline joua un rôle stratégique considérable dans la propagation des renseignements transmis par les observateurs qui étaient chargés de scruter le débarquement de l'Invincible Armada.
Métro: Hampstead

Hampton Court Palace

Situé à l'ouest de Londres et sur les rives de la Tamise, ce palais fut pendant de nombreux siècles la résidence des monarques anglais. Cette construction dans le pur style Tudor fut érigée par le cardinal et ministre Thomas Wolsey (1475-1530) avant d'être confisquée sans autre forme de procès par le roi Henri VIII. Le roi Guillaume III et sa femme Marie II chargèrent l'architecte Christopher Wren (1632-1723) des travaux d'agrandissement. Ce palais se caractérise par ses nombreuses et hautes cheminées, ses façades rouges et blanches et ses animaux héraldiques taillés dans la pierre. Prévoyez suffisamment de temps pour visiter Hampton Court Palace, car vous y découvrirez de véritables merveilles: par exemple **Base Court** et ses reliefs sculptés d'empereurs romains que Wolsey acheta en 1521 à l'artiste italien Giovanni da Maiano; **Clock Court** et la superbe horloge astronomique fabriquée en 1540 par Nicholas Oursian; le spendide parc et ses labyrinthes aménagés en 1714 et le lac de **Long Water**. Le château abrite de nombreux objets précieux, de spendides meubles antiques et une collection d'œuvres d'art inestimables dont les œuvres originales de Holbein, Rubens, Raphaël, Titien, Cranach, Breughel, Tintoretto, pour n'en citer que quelques-uns. Celui qui aime les superlatifs doit visiter la serre spécialement aménagée pour abriter un pied de vigne, vieux de 200 ans, dont le tronc a un diamètre de 2 mètres et qui produit encore chaque année 600 grappes de raisin. Au mois de mai, le spectacle offert par la floraison des châtaigniers bordant l'allée longue de 1,5 km est féerique.
Hampton, Middlesex

Tél. 081/781 95 00
Gare: Hampton Court
17 mars – 19 oct lu 10 h 15 – 18 h, ma-di 9 h 30 – 18 h, 20 oct – 16 mars 10 h 15 – 16 h 30, ma-di 9 h 30 – 16 h 30
Entrée: £ 6.50, enfants £ 4.30

Harbour

Le port de Londres, le "Pool of London", n'existe plus. Au XIXe siècle et jusqu'au début du XXe siècle, Londres était le principal port du pays. Les gigantesques chantiers s'étendaient à des kilomètres de la London Bridge sur la rive gauche de la Tamise. Mais le déclin fut rapide. Il y a quelques années encore, l'ancienne zone portuaire était un immense désert: entrepôts abandonnés et docks vides. Le quartier sombrait dans la déchéance complète. Depuis peu, la zone portuaire et les docks subissent une véritable métamorphose. De nombreux entrepôts ont été transformés en logements. Des immeubles apparaissent partout et une multitude de nouveaux projets voient le jour. Le City Airport assure désormais des communications rapides avec le continent. Cette renaissance débuta avec la rénovation du **St Katherine's Dock**, vieux de 250 ans, à proximité de la Tour de Londres. On y a construit des résidences, de luxeux immeubles de bureaux et même un petit port de plaisance.

Highgate Cemetery

Dans ce cimetière typiquement victorien, situé dans le nord de Londres, un grand nombre de tombes et de monuments tombent en ruine. La remarquable chapelle gothique et les catacombes égyptiennes sont accessibles au public. Dans la partie est, on trouve la tombe de Karl Marx (1818-1883) qui fut

Les anciens entrepôts portuaires ont été rénovés.

dotée d'un nouveau monument en 1950. Le cimetière abrite également la dernière demeure de George Eliot et Samuel Taylor Coleridge.
Swaine's Lane, N 6
Métro: Highgate
Tél. 081/340 18 34
Heures d'ouverture: se renseigner
Entrée: £ 3.00. Les enfants de moins de huit ans ne sont pas admis.

Holland Park
Le parc idyllique, qui se distingue par ses paons et ses flamants roses, ses splendides allées et son magnifique **Dutch Garden**, un restaurant et un théâtre de plein air (juillet-août), se cache au cœur de Kensington, entre Holland Park Avenue et Kensington High Street. Au début du XVIIe siècle se trouvait ici la **Holland House**, qui appartenait à la famille du comte de Hollande depuis 1624.
Abbotsbury Road, W 14
Métro: Holland Park

Horse Guard Parade ■ D 4
Une des principales attractions touristiques de Whitehall. Postées sur les splendides chevaux de la Household Cavalry, des sentinelles aux casques d'argent montent la garde durant de longues heures. Le bâtiment du **Horse Guard,** qui se distingue par ses arches classiques, ses ailes latérales et ses façades ornementales, date du XVIIIe siècle. L'arche centrale donne sur une vaste aire de parade, où a lieu chaque année au mois de juin le "Trooping the Colours", la parade donnée à l'occasion de l'anniversaire de la reine. Dos au Whitehall, on aperçoit à droite du **Horse Guards**, l'**Old Admirality** qui fut le quartier général de la Marine royale depuis l'époque d'Henri VIII jusqu'à 1964.
Whitehall, SW 1
Métro: Charing Cross

Hyde Park et Kensington Gardens ■ B 3, A 4
Niché entre Bayswater, Park Lane, Knightsbridge et Kensington Palace, Hyde Park est le plus grand parc du centre ville et le "poumon vert" de Londres. Hyde Park était jadis le terrain de chasse d'Henri VIII. Au XIXe siècle, de nombreux cavaliers venaient flâner dans le **Rotten Row,** une allée au sud du parc qui leur était réservée. Au nord-est, on

TOPTEN 9

Le spectacle de la Horse Guard
Parade: une longue tradition

30

trouve Speaker's Corner, où tout le monde peut venir exprimer ses opinions. **Apsley House** vaut également le détour. Au milieu du parc se trouve la réserve ornithologique d'Hudson. Statues: "Achilles" de sir R. Westmacott, érigée en 1822 et dédiée aux victoires de Wellington, "Rima" (1922) de Jacob Epstein et la splendide statue de Peter Pan de sir George Frampton. Le très beau pont de Rennie (1826-1828) relie la **Serpentine** de Hyde Park à Kensington Gardens, l'ancien parc de Kensington Palace, où les monarques britanniques résidaient autrefois.
SW 1 / W 2
Métro: Lancaser Gate/Hyde Park Corner

Keats Memorial House

Le poète romantique John Keats (1795-1821) passa les deux dernières années de sa vie, les plus créatives, dans cette maison de l'idyllique Hampstead, avant de mourir de la tuberculose lors d'un séjour en Italie. C'est ici que sont nées les œuvres "Odes to the Nightingale" et "Hyperion and Endymion". La maison abrite des manuscrits, des notes, des lettres et la bague de fiançailles de l'amour de sa vie, Fanny Brawne.
Keats Grove, NW 3
Tél. 071/4 35 20 62
Métro: Hampstead
Lu-ve 10 h – 13 h et 14 h – 18 h, sa 10 h – 13 h et 14 h – 17 h, di 14 h – 17 h. En hiver, parfois fermé. Se renseigner.
Entrée: £ 1.50, enfants 75 p.

Kensington Palace ■ A 3

Le palais devint la résidence royale en 1689, lorsqu'il fut acquis par le roi Guillaume III et son épouse Marie II qui chargèrent Christopher Wren de le rénover et de l'agrandir. Le palais demeura toutefois assez modeste.
L'orangerie, plus luxueuse, est probablement l'œuvre de Nicholas Hawksmoor. Le palais de Kensington est actuellement habité par la famille royale: la princesse Margaret, le prince Michael de Kent et son épouse et la famille du duc de Gloucester y occupent de vastes appartements. Seuls les **State Appartements,** agrandis à l'époque par William Kent, sont accessibles au public. La **King's Gallery**, le **King's Staircase** et la

Symbole de la liberté d'expression:
Speaker's Corner à Hyde Park

Queen's Bedroom – une des plus jolies pièces – qui appartenait à l'épouse de Jacques II, valent largement une visite.
Kensington Gardens, W 8
Métro: Queens Way
Lu-sa 9 h – 17 h, di 11 h – 17 h
Entrée: £ 3.95, enfants £ 2.60

Kenwood House

Datant de l'époque des Stuart, le manoir fut transformé à la demande du premier comte de Mansfield par Robert Adam. Sa façade classique, son orangerie et sa splendide bibliothèque en font l'œuvre la plus réussie de l'architecte écossais. En 1925, l'héritier de l'empire Guiness, le comte Ceci d'Iveagh, sauva ce splendide manoir des griffes des promoteurs immobiliers en le léguant à la ville de Londres. Hormis la bibliothèque, on y trouve également une galerie d'art. Les œuvres de Thomas Gainsborough, Joshua Reynolds et surtout des maîtres hollandais tels que Aelbert Cuyp, Van de Velde, Rembrandt et Vermeer, y sont les mieux représentées.
Hampstead Lane, NW 3
Métro: Hampstead
Mars/avril-oct. 10 h – 18 h
nov-mars/avril 10 h – 16 h

Kew Gardens

Ce fut la princesse Augusta qui décida, en 1759, d'aménager les Royal Botanical Gardens sur la rive sud de la Tamise. L'aménagement du terrain de 2 km² fut confié à sir Joseph Banks, qui dépêcha de jeunes botanistes dans le monde entier, à la recherche de plantes rares. Ce vaste jardin public "à l'anglaise" se distingue par sa variété botanique, ses étangs, ses temples et ses sentiers. C'est également un institut de recherche scientifique mondialement réputé, qui s'occupe principalement de la culture de familles complètes d'espèces végétales. Le Jardin des Rhododendrons est une pure merveille, ainsi que le Jardin des Iris, le Jardin des Bambous, le Jardin de Rocaille et le pavillon au toit de chaume, le **Queen Charlotte's Cottage**, où la reine organisait autrefois ses fêtes champêtres.
Palm House (une serre conçue en 1844-1848 par Decimus Burton) abrite une collection complète de plantes tropicales qui mérite vraiment le détour. Depuis 1987, on y trouve également le **Princess of Wales Conservatory**, dont les 4 490 m² abritent la flore de 10 écosystèmes différents.
Kew Road, Richmond, Surrey
Métro: Kew Gardens
En été lu-sa 9 h 30 – 18 h 30, di 9 h 30 – 20 h , les serres ferment vers 16 h 30.
A partir de sep. 9 h 30 – 17 h 30
Entrée: £ 3.50, enfants £ 1.30

King's Road ■ B 5 / B 6

L'artère commerçante la plus animée de Chelsea vous emmène de Sloane Square au pub "World's End". Durant les "Swinging Sixties", ce fut la rue où naissaient les modes et les styles. Cette route qui traverse le quartier des artistes existe déjà depuis deux cents ans.
Chelsea, SW 3 / SW 10
Métro: Sloane Square

Leighton House

Cette maison fut construite en 1865 par Lord Leighton (1830-1896), un peintre victorien qui souhaitait réaliser le rêve de sa vie. La sobre façade dissimule un intérieur exotique de style maure – en quelque sorte un harem au cœur de Londres. Le point d'orgue de la visite est le Arab Hall, haut de deux étages et surmonté d'une splendide

coupole. Les murs du hall sont recouverts de magnifiques carreaux orientaux des XIII-XVIIe siècles. Parmi les tableaux victoriens, on trouve des œuvres de Lord Leighton et d'Edouard Burne-Jones.
12 Holland Park Road, W 14
Métro: High Street Kensington
Lu-sa 11 h – 17 h 30
Entrée gratuite

Lincoln's Inn ■ D 3, E 3

Une des quatre écoles de droit dont tous les juges doivent être membres (voir Gray's Inn). Lincoln's Inn fut créée au XIVe siècle. On y accède par la Chancery Lane, en franchissant les portes d'origine datant de 1518. Face à Lincoln's Inn, on trouve l'**Old Hall** (1490-1492) et au nord de la cour intérieure, une chapelle datant de 1619. Le magnifiques cadran solaire de 1794 se trouve face à de splendides jardins. Derrière Lincoln's Inn se trouvent les Lincoln's Inn Fields – l'un des plus grands parcs publics de Londres (près de High Holdborn), WC 2
Métro: Chancery Lane

Lloyds of London ■ F 3

A l'heure actuelle, il s'agit certainement de l'immeuble le plus futuriste de Londres. Il ressemble à un invraisemblable empilement de boîtes de sardines ouvertes. C'est là que bat le cœur du marché international des assurances. Lloyds est également le centre nerveux de toutes les compagnies maritimes du monde. En 1688, Mr. Edouard Lloyd exploitait un café dans la Tower Street, où se réunissaient régulièrement les armateurs qui voulaient s'assurer contre les risques inhérents au transport maritime. C'est dans ce débit de boissons que la plus grande et la plus prestigieuse des compagnies d'assurances vit le jour.

Pour des raisons de sécurité, les visites ont été interdites.
Lime Street, EC 3
Métro: Monument

London Bridge ■ F 4

Nous connaissons actuellement la troisième version .
Construit par Harold King, il fut achevé en 1973.
Mais l'endroit où le London Bridge enjambe la Tamise est un des lieux les plus anciens et les plus historiques de Londres.
Il y a 2 000 ans, les Romains, considérant que l'endroit était propice à la traversée, décidèrent d'y jeter un pont en bois, un peu plus à l'est que le pont actuel. Ce pont demeura en place jusqu'en 1209, lorsqu'il fut remplacé par un pont en pierre.
Durant plus de 600 ans, ce fut l'une des artères les plus importantes de Londres.
On y trouvait des maisons, des magasins et même une chapelle.
En 1831, il fut remplacé par une construction, vendue 140 ans plus tard à un parc d'attractions en Arizona.
Métro: London Bridge

London Diamond Centre ■ C 3

Un regard fascinant sur le monde du diamant, les gisements (une exposition), le travail du diamant et l'expertise.
Les acheteurs y bénéficient d'une réduction.
En acquittant l'entrée de £ 3.45, vous recevez un petit cadeau.
Les visites de groupes doivent faire l'objet d'une demande préalable adressée à Mr. Mitchell Konyn.
10 Hanover Street, W 1
Tél. 071/6 29 55 11
Métro: Bond Street
Lu-ve 9 h 30 – 17 h 30,
sa 9 h 30 – 16 h

Lloyds of London: le centre mondial des assurances

The London Dungeon ■ F 4

Une sorte de musée de l'horreur historique pour des personnes aux nerfs d'acier et à l'estomac solidement accroché. Il illustre les épisodes les moins glorieux de l'histoire britannique: supplices, tortures, écartèlements et décapitations. La présentation réaliste est dénuée de toute ambiguïté, les cris et les gémissements sont plus vrais que nature. On y voit de tout: de Thomas Becket assassiné dans sa cathédrale à l'héroïne Boadicea, plantant sa lance dans le cou de son agresseur.
Situé à proximité de London Bridge Station, le musée est abrité dans des caves sombres et humides.
34 Tooley Street, SE 1
Métro: London Bridge
Tous les jours 10 h – 17 h 30
Entrée: £ 6.50, enfants £ 4.00

London Mosque ■ B 2

Splendide construction islamique au bord de Regent's Street (direction Zoo). Le centre religieux de la communauté islamique de Londres fut achevé en 1978. Splendides coupoles dorées, magnifiques mosaïques.
Hanover Gate, NW 1
Métro: Bakerstreet

Madame Tussaud's

Souvent imité, rarement égalé. Depuis 1835, le musée abrite les effigies de cire de célébrités, de politiciens, de vedettes, etc. Impressionnant.
Marylebone Road, NW 1
Tél. 071/935 68 61
Métro: Baker Street
Tous les jours 10 h – 17 h 30
Entrée: £ 6.40, enfants £ 4.15

The Mall ■ D 4

Parmi les neuf rues qui portent ce nom dans le Grand-Londres, nous connaissons uniquement – grâce aux retransmissions des cérémonies officielles – le boulevard bordé d'arbres, de parcs et de maisons de maître, menant de Buckingham Palace à Trafalgar Square.
Il fut construit entre 1660 et 1662 par Charles II, qui décida que ce boulevard triomphant devait traverser St James's Park.
Son aménagement actuel fut réalisé entre 1900 et 1911 par Aston Webb, qui érigea également le Queen Victoria Memorial face à Buckingham Palace et le majestueux Admirality Arch entre le Mall et Trafalgar Square.
St James's, SW 1
Métro: Charing Cross

The Monument ■ F 3

Monument construit entre 1671-1677 par Christopher Wren et Robert Hooke. La colonne, haute de 61,57 mètres, a été érigée en commémoration du "Grand Feu" qui ravagea le cœur de Londres en 1666. Elle se trouve exactement à 61,57 mètres de l'endroit où le feu a pris. Après avoir gravi 311 marches raides, on découvre une superbe vue sur la Tamise et la City.
Fish St Hill, EC 3
Métro: Monument

Nelson's Column ■ D 4

Cette colonne fut érigée en 1843 par William Railton en souvenir de la bataille de Trafalgar, qui se solda par la victoire de l'Angleterre sur la flotte franco-espagnole – et par la mort de Nelson. Une statue de 5 mètres de hauteur de Nelson coiffe une colonne haute de 52 mètres. En 1869, Edwin Landseer y rajouta les quatre lions de bronze.
Métro: Charing Cross

New Covent Garden　■ D 6

Le marché dut quitter son emplacement traditionnel de Covent Garden en raison de travaux de réaménagement. Liza Doolittle aurait du mal à reconnaître son marché aux fleurs. Mais l'esprit de l'époque souffle encore sur les vendeurs de fruits, de légumes et de fleurs. L'ambiance y demeure authentique.
Lu-ve 4 h – 11 h
Sa 4 h – 9 h
Nine Elms Lane, SW 8
Métro: Vauxhall

Old Bailey　■ E 3

Le tribunal anglais, officiellement dénommé "Central Criminal Court". Comme on peut le voir dans tous les films policiers anglais, les juges et les avocats sont coiffés d'une perruque et vêtus d'une toge. Leur style et leur langage sont extrêmement châtiés, même dans leurs plaidoiries les plus véhémentes.
Old Bailey, EC 4
Métro: St Paul's
Galerie des visiteurs:
lu-ve 10 h 30 – 13 h ,14 h – 16 h (âge minimal 14 ans). Il faut toujours emprunter la "Public Entrance". Les groupes doivent se présenter chez le "Keeper". Les photographies sont interdites.

Parliament Square　■ D 4 / D 5

Le Parlement fut érigé à la même époque que Westminster Palace, vers le XIIe siècle, sur des terres marécageuses, connues à l'époque sous le nom de 'Island of Thorney'. Actuellement, le trafic venu de quatre directions s'engouffre dans le square, dont les monuments, érigés à la mémoire des grands hommes d'Etat Churchill, Disraeli, Palmerston et Abraham, sont les témoins de l'histoire anglaise. La

Piccadilly Circus:
un lieu de rencontre fréquenté

façade en relief du **Middlesex Guildhall** (style néogothique, 1906-1913) est remarquable. A l'est de Parliament Square, près de Birdcage Walk, il faut absolument voir le **Queen Anne's Gate** et la statue de la reine Anne datant de 1708.
SW 1
Métro: Westminster

Piccadilly Circus　■ C 3 / D 3

Considéré par d'aucuns comme le centre de l'empire britannique, il n'est actuellement plus qu'un des carrefours les plus encombrés de Londres. Il fut aménagé vers la fin du XVIIe siècle. C'est ici que Regent Street, Lower Street, Lower Regent Street, Haymarket, Shaftesbury Avenue et Coventry Street (direction Leicester Square) se rejoignent.
W1
Métro: Piccadilly Circus

Regent's Park ■ C 2 / B 1

C'est en 1828 que les anciens terrains de chasse d'Henri VIII sont devenus accessibles aux Londoniens. Ce parc de forme arrondie abrite, outre un théâtre de plein air, le plus grand zoo du monde, le **London Zoo**. NW 1

TOP TEN 9

Métro: Regent's Park
Ouvert du lever au coucher du soleil.

Regent Street ■ C 3

Cette large rue sépare Mayfair de Soho. Conçue par le grand urbaniste John Nash et aménagée à partir de 1817, cette artère se terminant en arc de cercle était destinée à devenir la voie triomphante du prince Régent de l'ancienne Carlton House (le splendide palais du prince Régent), vers les jardins publics de Regent's Park. Il ne reste quasiment rien de l'œuvre de Nash, si ce n'est le **Quadrant** (la courbe).
Mayfair, W 1 / SW 1
Métro: Piccadilly Circus

Richmond Great Park

Ce grand parc sauvage s'étend sur les 814 hectares des anciens terrains de chasse d'Henri VIII. Il est rattaché à la maison royale. Outre les hardes de cerfs et de daims, il abrite des oiseaux et des animaux rares.
Richmond-upon-Thames

Royal Court of Justice ■ D 3 , E 3

La construction de la Cour de justice, également appelée **Law Court**, fut entamée entre 1874-1882 par G.E. Street et achevée par son fils. Le bâtiment, où sont jugées les affaires civiles, se caractérise par sa pléthore de tourelles et de façades. Au début de sa construction, son style Early English fut fortement brocardé.

Strand, WC 2
Tél. 071/9 36 60 00
Métro: Aldwych
Lu-ve 10 h – 16 h 30
L'accès dépend de la nature des affaires en cours.
Entrée gratuite

St Bride's Church ■ E 3

En raison de sa situation, la petite église est parfois appelée la "Cathédrale de Fleet Street". Conçue en 1678 par Christopher Wren, elle est la huitième église érigée en ces lieux en 2 000 ans. Le clocher, qui présente quelque similitude avec un gâteau de mariage à plusieurs étages, est particulièrement joli. La crypte abrite des vestiges de l'époque romaine et des sanctuaires précédents.
Fleet Street, EC 4
Métro: Blackfriars
Tous les jours 9 h – 17 h
Entrée gratuite

St Helen's ■ F 3

Si l'église est intéressante, les gens qui la fréquentent le sont encore davantage. Tous les mardis à 13 h, une assemblée de banquiers et de courtiers se réunit ici pour écouter la parole de Dieu avant de se sustenter de sandwiches et de thé, qu'ils doivent commander une semaine à l'avance.
Great St Helen's Street, EC 3
Métro: Liverpool Street

St James's Palace ■ C4/D4

Vestige complet et intact de l'époque Tudor, la plus ancienne résidence londonienne fut épargnée par le "Grand Feu" de Londres. Le palais fut construit en 1532 par Henri VIII sur l'emplacement d'un hospice de lépreux. Après l'incendie du palais de Whitehall en 1698, le palais de St James's devint la résidence royale officielle jusqu'à ce

VIVRE À LONDRES

que la reine Victoria décidât de transférer sa Cour au palais de Buckingham. La Cour de la reine s'appelle encore officiellement "Court of St James's". C'est également en ces lieux que sont intronisés les nouveaux monarques et que sont accrédités les ambassadeurs auprès de la Cour de Saint-James.

Au XVIIe siècle, l'architecte Wren y ajouta les **State Cabinets** et les ailes latérales. Depuis le Mall, on aperçoit la massive **Gate House** et ses tours octogonales.
Pall Mall, SW 1
Métro: Green Park
Pas de visites.

St James's Park

Le parc, réaménagé au XIXe siècle par John Nash, figure certainement parmi les plus jolis du monde. Ses lacs artificiels aux contours capricieux, ses oiseaux exotiques et son parcours accidenté agrémenté de gigantesques arbres reflètent encore toujours le style de l'époque.

St James's Park, le premier parc royal, fut aménagé en 1536 par Henri VIII sur un marécage qui s'étendait de St James's au palais de Whitehall.
SW 1
Métro: St James's Park

TOPTEN 9

St Martin-in-the Fields ■ D 4

Erigée en 1222, "l'église paroissiale de l'Empire britannique" est une des églises les plus célèbres du monde. La BBC World Service retransmet régulièrement des concerts qui y sont donnés. Lorsqu'en 1722-1726 l'architecte James Gibbs construisit St Martin-in-the-Fields dans le style classique inhabituel des temples romains, les Londoniens eurent du mal à s'habituer à la présence de ce bâtiment blanc. Les fenêtres vénitiennes, à l'est, et le jubé méritent le détour. Cette église ne doit pas seulement sa popularité aux "**lunch-time concerts**", mais également au "**Social Care Unit**", une tradition caritative vieille de 70 ans: chaque dimanche,

St James's Park, une oasis de calme depuis plus de 450 ans.

les sans-abri y trouvent le couvert. Les drogués y trouvent également le gîte. Au cimetière se tient chaque jour (sauf le dimanche) un **marché artisanal**, qui propose des objets, des tableaux et des vêtements à des prix défiant toute concurrence.
Trafalgar Square, WC 2
Tél. 071/9 30 00 89
Métro: Charing Cross
Brass Rubbing Centre
Lu-sa 10 h – 18 h , di 12 h – 18 h
Craftsmarket – Marché artisanal
Lu-sa 11 h – 18 h
Lunchtime concerts
Lu, ma, ve 13 h 05
Entrée gratuite

St Mary-le-Bow ■ F 3

Seul celui qui est né à portée du son des "Bow Bells " peut prétendre être un véritable Cockney. Wren reconstruisit l'église après le "Grand Feu" de 1666 sur les arcades érigées par les Normands vers 1100 et auxquelles l'église doit son nom.
L'église est rehaussée d'un splendide clocher.
Bow Lane, Cheapside, EC 2
Métro: Mansion House
Lu-je 7 h 30 – 17 h 30
Ve 7 h 30 – 16 h

St Pancras Station ■ D 1 / D 2

Construit en 1868-74 par George Gilbert Scott, cet imposant bâtiment de briques rouges, roses et grises fut la plus belle réussite de l'architecture victorienne. Cette gare, qui a tout d'une cathédrale néogothique, accueille actuellement les voyageurs en provenance de Leeds ou de Sheffield. La voûte de la gare, dont les structures de verre et de fer sont soutenues par une seule solive, est un véritable chef-d'œuvre architectonique.
Euston Rd, NW 1
Métro: St Pancras

St Paul's Cathedral ■ E 3

Christopher Wren consacra 35 ans de sa vie à l'édification de la monumentale cathédrale, unanimement considérée comme son chef-d'œuvre architectural. Elle fut construite entre 1675 et 1710 sur l'emplacement de ce qui fut, à partir de 604, un des plus grands sanctuaires d'Europe, avant d'être détruit par le feu en 1087. Il fut remplacé par une église dont la construction débuta au Moyen Age et fut poursuivie au XIIIe siècle. En 1315, l'église, qui comptait parmi les plus grandes de l'Europe médiévale, fut dotée d'un gigantesque clocher, qui fut ravagé par le feu en 1561. Le clocher ne fut jamais remplacé et l'église se délabra. L'allée centrale, le 'Paul's Walk' était un lieu de rencontre très populaire. Lorsque la capitale fut ravagée par le "Grand Feu" de 1666, l'église continua de se délabrer. On confia à Wren le soin de la rénover. Freiné dans son enthousiasme par les autorités cléricales, il réussit néanmoins à faire passer l'idée de construire une coupole plutôt qu'un clocher au-dessus du transept, suivant ainsi l'exemple des cathédrales de la Renaissance italienne.
La coupole s'appuie sur huit solides arcades dont les mosaïques victoriennes ne sont pas sans rappeler les fresques de la chapelle Sixtine. Dans la **crypte** se trouvent les tombeaux de Wellington et de Nelson. Reynold, Turner, van Dyck, Constable et William Blake sont inhumés dans le coin des peintres. C'est également ici que repose Wren.
Pour voir Londres sous un angle exceptionnel, gagnez d'abord la Galerie des Murmures de la coupole avant de gravir, si vous n'êtes pas sujet au vertige, les 542 marches qui mènent vers la **galerie d'Or**

d'où vous jouirez d'un panorama exceptionnel.
St Paul's Cathedral, EC 4
Métro: St Paul's
Tous les jours 8 h – 18 h
Crypte
Lu-sa 9 h 30 – 16 h 15
Entrée pour la galerie et la crypte:
£ 2.50, enfants £ 1.50

Smithfield ■ E 3
Couvrant une surface de 4,5 km², le plus vaste marché à viande du monde produit quelque 3 000 tonnes de viande par semaine. Son architecture est intéressante. Smithfield grouille de monde. Même si elle est admise, la présence des visiteurs n'est pas vraiment souhaitée. Les quartiers de viande, suspendus à des crochets, traversent les larges couloirs en direction du marché. La visite n'est donc pas sans danger. De plus, personne n'a le temps de répondre aux questions des visiteurs.
Charterhouse Street, EC 1
Métro: Barbican
Lu-ve à partir de 5 h

Soho ■ C 3, D 3
Appelé le "mile dépravé" de Londres, Soho est, à vrai dire, calme et tranquille si on le compare aux quartiers chauds d'autres villes européennes. Evidemment, les ruelles y sont un peu sombres. Même si les dames de petite vertu sont officiellement interdites en Angleterre, le roi du sexe, Paul Raymond, règne sur plusieurs revues, théâtres, sex-clubs et boîtes d'effeuillage. "Mannequins" et masseuses proposent leurs services aux passants en quête du fruit défendu.
Le quartier, limité par Oxford Street, Regent Street, Shaftesbury Avenue et Charing Cross, existe depuis le XVIIe siècle. Les deux îlots de verdure, **Golden Square** et **Soho Square**, datent respectivement de 1673 et 1681. Il ne reste plus rien des maisons de cette époque. La principale maison de Soho, **The House of Barnabas**, dans Greek Street, fut construite en 1746 (visites le me 14 h 30 – 16 h 15 et le je 11 h – 12 h 30) (Joli intérieur

La cathédrale St Paul rappelle la Renaissance italienne.

rococo). Autour de Gerrard Street, on trouve **Chinatown**. Chaque année au mois de février, on y fête le Nouvel An chinois.

A Soho, on trouve des restaurants, des épiceries et des marchés pour tous les goûts. Il est recommandé d'acheter épices, vins, viandes et poissons dans Brewer, Old Compton et Berwick Street, où se tient également un excellent marché aux légumes.

Les amateurs de jazz ont rendez-vous au **Ronnie Scott's Club**, un endroit mondialement renommé dans Frith Street, les fans de rock sont attendus au **Marquee** dans Wardour Street, où l'on trouve également quelques agences cinématographiques et quelques salles de cinéma. Chopin a donné des concerts dans Meard Street, Karl Marx a travaillé dans Frith Street et le peintre et poète William Blake est né dans Marshall Street.
W1
Métro: Piccadilly Circus

Speaker's Corner ■ B 3

Le coin nord-est de Hyde Park exerce un attrait sur tous ceux qui ont ou croient avoir quelque chose à dire. Speaker's Corner est souvent animé le dimanche car les orateurs et les spectateurs s'y déplacent en grand nombre.
Hyde Park
Métro: Marble Arch

Staple Inn ■ E 3

A proximité de Gray's Inn se trouvent deux maisons qui résistent à l'usure du temps depuis l'époque de Shakespeare. Les façades de bois et de limon, inclinées vers l'avant, et les balcons en encorbellement sont authentiques. Une entrée discrète emmène le visiteur dans la cour intérieure de l'Inn. Au numéro 2 se trouve la maison où vécut, de 1759 à 1760, le docteur Samuel Johnson, l'éminent linguiste et lexicographe anglais. En une semaine, il écrivit "Rasselas" car il avait besoin d'argent pour payer les funérailles de sa mère.

Soho, le paradis des noctambules

41

Holborn, EC 1
Métro: Chancery Lane

Temple ■ E 3

Il abrita le siège de l'ordre des Templiers, jusqu'à la dissolution de ce puissant ordre religieux et militaire en 1312. Au XVe siècle, on construisit une école de droit sur le vaste terrain adjacent. Dans Fleet Street, on emprunte le porche de l'**Inner Temple Gateway** pour se diriger vers **Inner** et **Middle** Temple, qui datent de 1160. A l'époque, ce lieu se trouvait à l'intérieur des remparts. Ensuite, on accède d'une manière assez inattendue à une cour bordée de splendides édifices historiques. Les jolis jardins d'Inner Temple et de Middle Temple donnent sur Victoria Embankment (entre Blackfriars et Waterloo Bridge, où sont ancrés les navires **HMS President, HMS Chrysanthelum** et le **HMS Wellington**).
Fleet Street EC 4
Métro: Temple

Temple of Mithras

Les ruines de ce temple romain, construit au deuxième siècle après J.-C., furent découvertes en 1954 à l'occasion de travaux de terrassement. Le sanctuaire souterrain fut érigé par les soldats romains en l'honneur de leur divinité Mithra. Le culte était exclusivement réservé aux hommes qui tenaient leurs réunions secrètes dans ce temple.
Queen Victoria Street, EC 4
Métro: Mansion House

Tamise ■ A6 - F4

Artère vitale de Londres, le fleuve prend sa source dans les collines de Cotswold près de Cirencester, à 338 km de son embouchure près de Nore. Londres a été construite sur les rives de la Tamise. Les premiers colons traversèrent le fleuve pour s'installer à l'est du centre ville actuel. Sous Claudius, les Romains vainquirent les Celtes établis au sud-est du pays et jetèrent un pont à proximité de l'endroit où se trouve actuellement le London Bridge. Ils furent les premiers étrangers à remonter le fleuve. En 60 av. J.-C., Londres était déjà une ville portuaire florissante. Malheureusement, elle a perdu de sa superbe. Il fallut attendre ces dernières

Le Docklands Light Railway

42

années pour voir un ambitieux programme de reconstruction tenter d'insuffler une nouvelle vie aux quartiers situés autour des anciens Docks.

Le **City Airport** fut construit pour assurer des liaisons rapides avec les autres capitales européennes. Le Docklands Development Program figurait parmi les projets de rénovation les plus téméraires, mais son succès se fait toujours attendre. De nombreuses tours d'appartements et immeubles de bureaux restent désespérément vides. Les créanciers se disputent au sujet de **Canary Wharf** (voir page 24), la tour la plus haute de Londres. Malgré tout ou peut-être précisément pour cette raison, le vaste complexe demeure une curiosité. Le **Light Railway** assure des liaisons régulières avec les Docklands.

Thames Flood Barriers

Le barrage sur la Tamise est décrit comme le dernier miracle technologique londonien, ce que semblent confirmer les quatre gigantesques demi-lunes argentées situées à 16 kilomètres du centre ville à hauteur de Charlton, SE 7. En 1982, ces gigantesques écluses furent inaugurées par la reine. Le barrage d'une largeur de 550 mètres (chaque demi-lune mesurant 65 mètres), réalisé en acier inoxydable, se referme automatiquement une fois que l'eau franchit un niveau déterminé. Cette grandiose attraction touristique se visite en bateau (**Barrier Cruiser**) ou en bus au départ de Waterloo. Une exposition est consacrée au développement du projet. Bateaux au départ de Westminster Pier.

Tous les jours 10 h 30 – 18 h
Exposition: lu-ve 10 h – 17 h ,
di 10 h 30 – 17 h 30
Entrée: £ 2.25, enfants £ 1.40

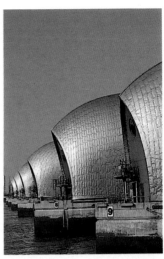

Thames Flood Barriers : une merveille technologique destinée à protéger la ville des inondations

Tower Bridge ■ F 4

Le symbole de Londres offre une splendide vue sur la Tamise et sur **Butler's Wharf**, **HMS Belfast** et **St Katherine's Dock**. De la Tour Nord, on emprunte la passerelle qui mène à la Tour Sud. Tower Bridge, construit entre 1886 et 1894, est le pont situé le plus à l'est sur la Tamise. Malgré son poids, cette gigantesque construction en acier avec son extérieur de pierre possède un certain charme architectonique. Le **Tower Bridge Museum** vous informe sur l'évolution des travaux. La **Tower Bridge Experience** est la toute dernière attraction touristique. Dans la partie centrale de Tower Bridge, entre les deux Tours, d'ingénieux personnages illustrent l'ère de la machine à vapeur. Le sous-sol abrite un restaurant, des

TOP TEN 3

Achevé en 1894,
Tower Bridge
abrite actuellement un musée consacré
à l'histoire
du symbole de la ville.

expositions et un magasin de souvenirs.
Tower Bridge, SE 1
Métro: Tower Hill
Avri-oct lu-sa 10 h – 18 h 30,
nov-mar lu-sa 10 h – 16 h 45

Tower of London ■ **F 4**
Cette imposante place forte médiévale avec ses tours, ses créneaux, ses meurtrières et ses douves

n'était, en 1078, lorsque Guillaume le Conquérant la fit construire, qu'un bâtiment de bois. L'achèvement de la Tour a nécessité plusieurs siècles et s'est fait en plusieurs styles. Sous Edouard I (1272-1307), la place forte devint une forteresse médiévale. Douze tours sont postérieures à la Tour Blanche (White Tower). Une tour de guet donnait également sur les

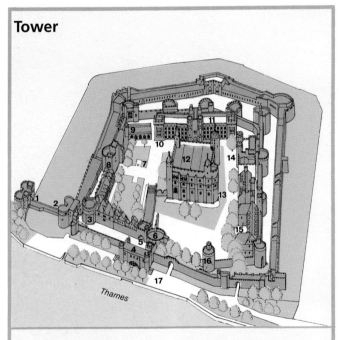

Tower

Thames

1 Middle Tower (Tour du Milieu)	**10** Jewel House (Maison des Joyaux)
2 Byward Tower (Tour du Mot de Passe)	**11** Waterloo Barracks (Caserne Waterloo)
3 Bell Tower (Tour de la Cloche)	**12** White Tower (Tour Blanche)
4 Traitor's Gate (Entrée du Traître)	**13** St. John's Chapel (Chapelle St Jean)
5 Bloody Tower (Tour du Sang)	**14** Musée des Artilleurs Royaux
6 Wakefield Tower	**15** Nouvelle collection d'armes
7 Tower Green (où se trouvait l'échafaud)	**16** Lanthorn Tower
8 Beauchamp Tower	**17** Tower Wharf
9 Chapelle Royale de St-Pierre-aux-Liens	

ponts-levis jetés sur les douves larges de 38 mètres. L'histoire de la Tour est écrite avec des larmes et du sang. A ce propos, elle présente quelque similitude avec la Bastille. Anne Boleyn, sir Thomas More, sir Walter Raleigh et la princesse Elisabeth I y furent emprisonnés. Rudolph Hess y fit également un séjour forcé.

Jusqu'à l'avènement de Jacques I, la Tour était la résidence permanente des rois anglais. En raison de son inviolabilité, elle servit de trésor, d'arsenal et évidemment de prison. Les bijoux de la Couronne sont encore conservés dans la Tour, qui propose aussi aux visiteurs une splendide collection d'armes. Ses traditions ont également survécu à l'érosion du temps. La forteresse est toujours gardée, comme en 1485, à l'époque d'Henri VI, par les Beafeaters, les Yeomen Warders, en uniforme traditionnel des Tudors. La **Ceremony of Keys** (la cérémonie des clefs) a également subsisté: chaque soir à 22 heures, la Tour est fermée à clef. Même le repas de viande des corbeaux figure sur la liste civile, car la légende veut que la Tour s'effondrerait si jamais les volatiles noirs l'abandonnaient. Parmi les curiosités, citons **Traitor's Gate**, la Porte du Traître, que les condamnés devaient franchir pour se rendre au lieu de leur exécution après avoir été emmenés en bateau jusqu'à la Tour. Vous aurez la chair de poule en visitant la **Tour Wakefield** et surtout la célèbre **Bloody Tower**: durant la Guerre des Roses (1455-1485) Henri VI fut assassiné sur l'ordre d'Edouard IV dans la Tour Wakefield; les enfants d'Edouard IV furent cruellement mis à mort dans la Tour de Sang (Bloody Tower) sur l'ordre de Richard III. Le billot est toujours visible à Tower Green.

La colonne de Nelson

Tower Hill, EC 3
Métro: Tower Hill
Mars-oct. 9 h – 18 h, di 10 h – 18 h, nov-fév, lu-sa 9 h 30 – 17 h
Entrée: £ 6.40, enfants £ 3.90

Trafalgar Square

Autour du plus joli des squares londoniens se trouvent la National Gallery, la Canada House, la South Africa House et la célèbre silhouette de l'église paroissiale de l'Empire, St Martin-in-the Fields.

Le square fut aménagé en l'honneur de la victoire de Nelson à Trafalgar. Il devait symboliser l'omnipotence de l'Empire britannique. Conçu vers 1820 par le célèbre urbaniste Nash, il fut réaménagé en 1840 par sir Charles Barry. C'est ici que se rejoignent Pall Mall, le Mall, Whitehall, Charing Cross, Cockspur Street ainsi que le Strand. On y trouve également la colonne de Nelson, haute de 55 m, et les statues victoriennes des généraux

Westminster Abbey est l'église où se déroulent les cérémonies du Sacre.

anglais. Les fontaines aux Lions furent construites en 1939 par sir E. Landseer Lutyens. Elles servent à présent de point de ralliement à l'occasion d'importantes manifestations. La nuit de la Saint Sylvestre, les fontaines sont prises d'assaut par les jeunes qui n'hésitent pas à s'y précipiter.
Métro: Charing Cross

Wembley Stadium

Un must absolu pour tous les fous du ballon rond. Hormis les rencontres internationales, on y organise chaque année au mois de mai la finale de Coupe d'Angleterre. On peut tout y visiter: des vestiaires à la salle des trophées. Ensuite, nous nous rendons au stade, où un guide pousse sur le bouton de son enregistreur pour nous faire profiter des acclamations de la foule en délire. La visite, qui dure environ deux heures, débute à l'heure pile.
Wembley Stadium, Wembley
Tél. 081/9 02 88 33
Métro: Wembley Park
Visites: 10 h – 16 h en été, 15 h en hiver

Westminster Abbey ■ D 4

Officiellement dénommée "The Collegiate Church of St Peter in Westminster", l'abbaye accueille depuis plus de 900 ans les couronnements, les bénédictions nuptiales et les cérémonies funèbres de la famille royale. Le lien étroit qui unit l'abbaye (qui paraît plus grande qu'elle n'est) et la Couronne remonte à l'époque de Guillaume le Conquérant qui choisit de se faire couronner en 1066 dans la nouvelle abbaye de Westminster encore inachevée. Un an plus tôt, Edouard le Confesseur avait jeté les bases de cette abbaye, dont on peut retracer l'histoire jusqu'au IXe siècle. Au fil des siècles, elle a subi de nombreu-

ses modifications. En 1245, Henri II y apporta de nombreuses transformations inspirées du style gothique français des cathédrales d'Amiens et de Reims. En 1540, Henri VIII éleva l'abbaye au rang de cathédrale et désigna un évêque. Ce n'est que sous Elisabeth I que l'abbaye devint la collégiale de l'Eglise d'Angleterre. Elle s'affranchissait en même temps de l'évêque de Londres et de l'archevêque de Canterbury. Elle était désormais le "Royal Peculiar" de la Couronne et de l'Etat. Si vous la visitez, ne manquez pas la splendide **Chapelle d'Henri VII**, qui illustre le style perpendiculaire dans toute sa perfection. Elle fut construite en 1519 par l'architecte de la Cour, Robert Vertue, pour servir de dernière demeure à l'homme qui mit fin à la Guerre des Roses. De nombreux dignitaires et hommes illustres y reposent pour l'éternité: Winston Churchill, David Livingstone, Robert Stephenson, Isaac Newton, Charles Darwin, Edward Elgar, et dans le Coin des Poètes, on peut visiter les tombeaux de poètes tels que Geoffrey Chaucer, Charles Dickens et Rudyard Kipling.
Broad Sanctuary, SW 1
Tél. 071/2 22 51 22
Lu-ve 9 h 20 – 16 h ,
sa 9 h – 14 h et 15 h 45 – 17 h
Entrée: £ 3.00, enfants £ 1
La crypte des Normands abrite une exposition qui retrace l'histoire de l'abbaye.

Westminster Bridge ■ D 4

Le pont en fonte, construit en 1862 par Thomas Page, remplaça le précédent qui datait de 1749 et qui était à l'époque le second pont sur la Tamise. La construction du pont reliant Westminster au quartier de Lambeth – où réside l'archevêque de Canterbury – fut fortement contestée, principalement par les passeurs qui craignaient de perdre leur emploi. L'auteur romantique William Wordsworth (1771-1855) lui consacra un sonnet. Qui aurait pu penser à pareille époque que ce pont de 270 mètres au-dessus de la Tamise deviendrait un jour l'artère la plus fréquentée de Londres? A n'importe quel moment de la journée ou de la nuit, le pont offre une superbe vue sur le Parlement et Big Ben. La statue de la légendaire reine Boadicea, qui osa défier les Romains, orne le pont depuis 1902.

SW 1
Métro: Westminster

Westminster Palace ■ D 4 / D 5
Houses of Parliament

Autre symbole de Londres, le Palais de Westminster figure certainement parmi les œuvres architecturales les plus belles et les plus artistiques de la ville, grâce à ses innombrables statues de pierre, ses tours pointues, ses ornements, ses encorbellements et ses vitraux, ses piliers, ses animaux héraldiques et ses niches taillées dans la pierre calcaire ocre.

Le palais daterait de l'an 1000, lorsque le roi transféra sa Cour de Winchester à Westminster, vers une région marécageuse adjacente à un monastère, qui, transformé par Edouard le Confesseur entre 1050 et 1065, allait devenir l'abbaye de Westminster. Son fils, William Rufus, fit ériger Westminster Hall, qui était la plus vaste salle publique d'Europe. Le roi y convoqua ses seigneurs (Lords), ses chevaliers et ses nobles (House of Lords ou Chambre des Lords). Les porte-parole des villes et des circonscriptions (bouroughs) voulurent également faire entendre leurs voix. C'est ainsi que la Chambre des Députés (House of Commons) vit le jour (vers 1302). Sous Henri VIII, qui fit de Whitehall sa résidence permanente, Westminster devint définitivement le siège des assemblées nationales. Trois ans après l'incendie de 1837,

Vue du Westminster Bridge sur les Houses of Parliament et Big Ben

sir Charles Barry entreprit sa reconstruction. La vue la plus jolie de Westminster s'observe depuis la rive sud de la Tamise, après avoir traversé Westminster Bridge. Le soir, le Parlement et la Clock Tower, qui abrite Big Ben, sont illuminés. Le nom "Big Ben" s'applique à la gigantesque horloge, construite par Benjamin Hall, et non à la tour qui l'abrite. Pour des raisons évidentes de sécurité, il est très difficile de visiter les Houses of Parliament. Si l'on désire assister aux débats parlementaires depuis la galerie des visiteurs, il est prudent de se renseigner au préalable.
Parliament Square, SW 1
Métro: Westminster
House of Commons
Tél. 071/2 19 42 72
House of Lords
Tél. 071/2 19 31 07

Westminster Roman Catholic Cathedral

La construction en brique rose, de style byzantin, avec son campanile est la principale cathédrale des catholiques anglais. Elle ne fut construite qu'en 1903 par John Francis Bentley, qui s'inspira de Sainte-Sophie d'Istanbul. Le campanile, quant à lui, ressemble à celui de la cathédrale de Sienne. L'aménagement intérieur, en marbre gris-noir, est superbe. La cathédrale de Westminster (abréviation utilisée par certains guides de voyage) est également le siège du chef de l'église catholique d'Angleterre, le premier archevêque de Westminster.
Ashley Place, SW 1
Métro: Victoria

Zoological Garden ■ C 1

Créé par la Zoological Society of London, le plus ancien jardin zoologique du monde occupe une grande partie de Regent's Park. L'intérêt majeur du zoo de Londres (ainsi que du jardin zoologique de Whipsnade Park dans le Bedfordshire) est d'innover dans la conservation et la garde des animaux en captivité: les cages métalliques disparurent au profit de vastes espaces ouverts, proches du biotope des 5 000 espèces observables, mais cette approche innovatrice est encore loin de faire l'unanimité. D'un point de vue purement zoologique, le pavillon des insectes abrite des araignées, des serpents, des insectes géants et des reptiles du monde entier.
Regent's Park, NW 1
Métro: Camden Town
Tous les jours 10 h – 17 h 30 en été, 10 h – 16 h en hiver
Entrée: £ 6.50, enfants £ 4.00

A Londres, on peut passer des semaines dans les musées et découvrir à chaque fois de nouvelles merveilles artistiques, historiques, techniques ou autres.

Les grands musées de la mégapole rassemblent des trésors et des découvertes issus des civilisations les plus diverses ou de cultures disparues. Provenant de toutes les régions de l'ancien Empire britannique, ils nous donnent une image unique du passé. Qu'il s'agisse de la Magna Carta ou des très controversés Marbres d'Elgin au British Museum, de la lunette astronomique de Galilée au musée des Sciences ou de la collection Turner dans la Clore Gallery, le visiteur a toujours l'assurance de trouver devant lui des objets insolites et uniques.

De la chirurgie dentaire au ballet

Pour qui s'intéresse à autre chose qu'aux beaux-arts ou à l'histoire, il existe des expositions insolites, par exemple, le **musée d'Anna Pavlowa**, la maison de la célèbre ballerine, située dans le NW 11. L'étonnant **musée de la British Dental Association** retrace l'histoire et l'évolution des sciences dentaires. En voyant la panoplie des instruments utilisés autrefois par les arracheurs de dents, vous comprendrez aisément pourquoi les clients ne se bousculaient pas au portillon. La tour de la chapelle de la **cathédrale de Southwark** abrite une salle d'opération parfaitement préservée du XIXe. Elle provient de l'hôpital St Thomas. On y trouve également des souvenirs de Florence Nightingale.

Retour à l'art

Sur la rive sud de la Tamise, la **Galerie Hayward** organise, sous l'égide de l'Arts Council of Great Britain, d'excellentes expositions, généralement consacrées à l'art moderne. Dans Gower Street, la **Flaxman Gallery** expose des œuvres de John Flaxman (1755-1826), le sculpteur et illustrateur néoclassique, qui doit sa notoriété aux ouvrages de sculpture funéraires de l'abbaye de Westminster et de la cathédrale St Paul. A Kensington, **la maison du caricaturiste Edward Linley Sambourne** vaut également le détour. On y trouve quelques-uns de ses célèbres dessins satyriques.

Le British Museum est l'un des musées les plus importants du monde.

Musées

British Museum ■ D 3

Il figure sans conteste parmi les musées les plus vastes et les plus importants du monde. Il fut fondé en 1735 pour abriter les 80 000 objets provenant de la collection privée du naturaliste et médecin sir Hans Sloane – coquillages, insectes, échantillons minéraux, monnaies et médailles, livres et gravures rares. En 1823, George III légua au musée sa gigantesque bibliothèque privée. Le jeune architecte Robert Smirke fut chargé de construire un vaste bâtiment, digne de recueillir les trésors de la nation. En 1838, l'ouvrage néoclassique et sa cour intérieure étaient terminés. On y trouve une des plus grandes bibliothèques du monde, la **British Library** et son imposante Salle de Lecture, où Karl Marx travailla à la rédaction de "Das Kapital". La salle de lecture est surmontée d'une gigantesque coupole de fer. Parmi ses innombrables trésors et chefs-d'œuvre, le British Museum compte quelques-unes des plus jolies sculptures de l'Antiquité romaine, grecque et égyptienne, des découvertes archéologiques provenant d'Assyrie et de Babylone, des œuvres d'art de l'ancienne Chine, en particulier des dynasties Ming et T'ang. Si les anciens manuscrits, les ouvrages annotés et les éditions originales vous passionnent, vous trouverez ici les carnets de croquis de Léonard de Vinci et de Dürer, la première édition de la Bible anglaise, l'original de la Magna Carta ou les dernières notes rédigées par Lord Nelson et celles du capitaine Scott, l'explorateur mort dans l'Antarctique. Il est impossible de citer tous les chefs-d'œuvre, mais il ne faut surtout pas manquer les Antiquités romaines et grecques, la frise du Parthénon, que le gouvernement grec s'efforce actuellement de récupérer, ou encore les fresques de Pompéi.

Great Russell Street, WC 1
Métro: Russel Square

Le Design Museum ou l'art dans la vie quotidienne

Lu-sa 10 h – 17 h
Di 14 h 30 – 18 h
Entrée gratuite, sauf lors de certaines expositions thématiques

Cabinet War Rooms ■ D 4

Le quartier général et le centre opérationnel de Winston Churchill durant la Seconde Guerre mondiale. Le cabinet de guerre se réunissait dans un abri situé à plus de cinq mètres sous le Ministère. Cinq pièces ont été aménagées en musée. Le bunker était la plaque tournante des services secrets. La pièce où Churchill travaillait et où il lui arrivait de dormir est restée en l'état, avec les vieux téléphones, les légendaires cigares de Churchill, les cartes d'état-major et les documents secrets.
Whitehall, Clive Steps, King Charles Street, SW 1   .
Tous les jours jusqu'au 30 sept.
9 h 30 – 17 h 15,
sinon 10 h – 17 h 15
Entrée: £ 3.90, enfants £ 1.90

Design Museum

Créé par le styliste londonien Terence Conran, le musée se propose de mettre en évidence le stylisme (le design) des objets utilitaires. Après votre visite au musée, délassez-vous quelques instants au **Blue Print Café**, situé dans le même bâtiment. On y sert également de la pâtisserie et des snacks.
Butlers Wharf 20 Shad Thames, SE 1
Métro: Tower Hill
Lu-ve 11 h 30 – 18 h
Sa-di 12 h – 18 h
Entrée: £ 4.50
Blue Print Café
Tél. 071/3 78 70 31
Lu-sa 12 h – 15 h et 19 h – 23 h
Classe de prix inférieure

The Dickens House Museum ■ E 2

Même si Dickens ne passa que trois ans de sa vie dans cette modeste demeure, elle est devenue son principal musée. C'est ici que sont nés "Oliver Twist" et "Nicolas Nickleby", œuvres dans lesquelles Dickens a décrit la condition des pauvres à l'époque victorienne. Le musée rassemble un grand nombre de livres, de manuscrits et d'autres documents.
48 Doughty Street, WC 1
Métro: Russel Square
Lu-sa 10 h – 17 h
Entrée: £ 3.00, enfants £ 1.00

TOPTEN 6

Geological Museum ■ B 5

Créé en 1837, ce musée est remarquable en raison de sa prestigieuse collection de pierres précieuses. Le stand consacré à l'histoire de la Terre est également fascinant. L'exposition sur la géologie des différentes régions de la Grande-Bretagne s'adresse prioritairement aux spécialistes.
Exhibition Road, SW 7
Métro: South Kensington
Lu-sa 10 h – 17 h 50
Di 11 h – 17 h 50
Entrée: £ 5, enfants £ 2.50

Imperial War Museum ■ E 5

Le musée de la Guerre fut inauguré peu après la Seconde Guerre mondiale. L'exposition d'armes et autres engins de mort a pour but d'illustrer toutes les atrocités de la guerre. On y trouve également de nombreux documents et archives relatifs à la guerre: journaux, photos, films et tableaux d'Henry Moore, d'Augustus John, etc.
Lambeth Road, SE 1
Lu-di 10 h – 18 h
Entrée: £ 3.90, enfants £ 1.95

VIVRE À LONDRES

London Museum ■ F 3

Le musée propose aux visiteurs de passer en revue les principales périodes de l'histoire britannique: l'âge de pierre, l'époque romaine, la période anglo-saxonne, le Moyen Age, le règne des Tudor et des Stuart et l'histoire contemporaine. Les découvertes archéologiques, telles que le temple de Mithra, qui ne fut mis à jour qu'en 1954 lors de travaux de terrassement, ou encore le buste de Sérapis sont un must absolu.
Barbican, 150 London Wall, EC 2
Métro: Barbican
Ma-sa 10 h – 18 h , di 12 h – 18 h
Entrée: £ 3.00. Le billet est valable trois mois.

London Transport Museum ■ D 3

Le musée du transport relate l'histoire et l'évolution des transports publics londoniens, à commencer par une réplique du premier omnibus de 1829, des bus tractés par des chevaux, des trams, des autopompes et même des bacs qui faisaient la navette sur la Tamise ainsi que des wagons de chemin de fer du XIXe siècle.
The Piazza, Covent Garden, WC 2
Métro: Covent Garden
Tous les jours 10 h – 18 h
Entrée: £ 3.95, enfants £ 2.50

Museum of Mankind

On y trouve des pièces de musée de cultures non-européennes provenant du British Museum, qui décida, en 1972, de transférer ici les collections ethnographiques de Raumnot. Le spendide bâtiment victorien, construit en 1866-1867, faisait partie de l'université de Londres. La volumineuse collection, qui rassemble des étoffes et des sculptures africaines, des objets d'art indiens et indonésiens, jouit d'un intérêt toujours croissant. La salle 8 abrite un remarquable masque en ivoire du Bénin et un crâne mexicain entièrement réalisé en cristal.
6 Burlington Gardens, W 1
Métro: Piccadilly Circus

La façade de la National Gallery domine Trafalgar Square.

Lu-sa 10 h – 17 h
Di 14 h 30 – 18 h
Entrée gratuite

National Gallery ■ D 4

Elle rassemble des toiles anglaises de plusieurs époques, mais également quelques chefs-d'œuvre mondialement connus de grands maîtres des Ecoles flamande, hollandaise, espagnole et italienne. Léonard de Vinci, Raphaël, Sandro Botticelli et Titien, mais également Rubens, Rembrandt, Anton van Dyck et les maîtres espagnols des XVe-XVIIIe siècles, Diego Velasquez et El Greco, y sont représentés, ainsi que Cézanne, John Constable, William Turner et Joshua Reynolds. Avec plus de 45 000 tableaux, la National Gallery figure parmi les plus grandes galeries de peinture du monde. Elle fut construite en 1838 par l'architecte William Wilkins. En juin 1991, on y ajouta la Sainsbury Wing.
Trafalgar Square, WC 2
Métro: Charing Cross
Lu-sa 10 h – 18 h , di 14 h – 18 h
Entrée gratuite, même pour la plupart des expositions.

National Maritime Museum

Le plus grand musée maritime du monde. Les pièces de musée vont d'importantes découvertes archéologiques sous-marines à des bateaux en parfait état de conservation.
Dans le **New Neptune Hall**, dans l'aile droite, on peut admirer le Queen Mary, un navire de cabotage datant de 1689.
L'aile gauche met l'accent sur la puissance maritime de l'Angleterre. On y trouve également de nombreuses marines peintes par des artistes de renom, tels que Turner et Reynolds, ainsi que des instruments de navigation, des armes et des uniformes. Le National Maritime Museum se trouve dans le splendide Greenwich Park, dans la **Queens House**, où sont nés Henri VIII et ses deux filles, Mary et Elisabeth. Le même complexe abrite le **Old Royal Observatory**, où l'on peut marcher sur le tracé du méridien d'origine de Greenwich. Depuis 1884, ce méridien est la référence de l'heure G.M.T.
Romney Road, SE 10
Tél. 081/858 44 22
Métro: Maze Hill
Lu-sa 10 h – 18 h
Di 12 h – 18 h
En hiver di 14 h – 17 h
Entrée £ 3.75, enfants £ 2.75

National Portrait Gallery ■ D 4

Située à proximité de Trafalgar Square, cette galerie aussi originale que fascinante s'intéresse davantage à la représentation des personnes qu'aux artistes qui les ont peintes. On y trouve les portraits des personnalités les plus importantes de l'histoire britannique. Créée en 1859, la galerie déménagea en 1895 vers le bâtiment actuel de style Renaissance, érigé par l'architecte Ewart Christian. A l'étage supérieur, on trouve des effigies datant du Moyen Age, des époques Tudor (Henri VIII, Lady Jane Grey), jacobéenne, Stuart et des portraits de l'époque contemporaine, avec une attention toute particulière pour les membres de la monarchie britannique. Y sont également représentés l'ex-Beatle Paul Mc Cartney et bien évidemment, Margaret Thatcher, la première femme Premier ministre.
2 St Martin's Place, WC 2
Métro: Charing Cross
Lu-ve 10 h – 17 h
sa 10 h – 18 h
di 14 h – 17 h
Entrée gratuite

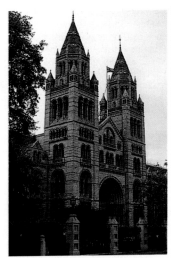

La façade du
Natural History Museum
est également une curiosité.

Natural History Museum ■ A 5

Le musée d'Histoire Naturelle rassemble une profusion de pièces zoologiques, botaniques, minéralogiques et paléontologiques, qui ont trouvé une place de choix dans l'immense bâtiment d'Alfred Waterhouse (1873-1880) à South Kensington. L'essentiel des pièces provient de sir Sloane, dont les collections ont présidé à la création du British Museum en 1735. Pour créer une certaine homogénéité, les sciences naturelles ont été regroupées. Elles constituent actuellement la base du musée. La salle des cétacés représente depuis plusieurs décennies l'attraction principale du musée. On y trouve l'imitation grandeur nature d'un rorqual ainsi que le squelette d'une baleine. Une salle est consacrée à l'œuvre du naturaliste Charles Darwin.
Cromwell Road, SW 7
Métro: South Kensington
Lu-sa 10 h – 17 h 50
Di 11 h – 17 h 50
Entrée: £ 4.50, enfants £ 2.20

Royal Academy of Arts ■ C 4

Créée en 1768, cette institution fut chargée de promouvoir les Beaux-Arts dans l'ensemble du pays. La Royal Academy siège actuellement dans un splendide bâtiment donnant sur Piccadilly. La respectable Académie fut souvent controversée, car elle faillit presque toujours à sa double mission: donner de nouvelles impulsions artistiques et être un lieu d'échange d'idées. On y découvre les superbes collections de grands maîtres tels que Thomas Gainsborough, John Constable ou Joshua Reynolds. Son chef-d'œuvre le plus prestigieux est la "Vierge à l'Enfant" de Michel-Ange.
Burlington House, Piccadilly, W 1
Métro: Piccadilly Circus
Tous les jours 10 h – 18 h
Entrée au moins £ 5.00

Science Museum ■ B 5

Impressionnant panorama des sciences, de la recherche et des innovations technologiques. Outre les vieux tacots, les premiers moteurs, les machines à vapeur et les avions, on peut y admirer la capsule spatiale d'Apollo 10. Le **Welcome Medical Museum** est la mémoire vivante de l'histoire de la médecine.
Exhibition Road, SW 7
Métro: South Kensington
Lu-sa 10 h – 18 h
Di 11 h – 18 h
Entrée: £ 4.00, enfants £ 2.10

Tate Gallery ■ D 4

La plus célèbre des galeries d'art moderne vit le jour en 1892, lorsque sir Henry Tate, homme de progrès, offrit à l'État sa prestigieuse collection de tableaux de maîtres, ainsi que les moyens financiers nécessaires à la construction d'un musée. En 1916, la "Tate" décida de s'ouvrir aux artistes étrangers. Au fil du temps, plusieurs agrandissements furent nécessaires: le dernier date de 1986, lorsque la reine inaugura la **Charles Clore Gallery**. Cette nouvelle aile, dont l'architecture moderne contraste avec celle du bâtiment principal, accueille désormais le fonds Turner. L'essentiel des œuvres est réuni dans la **British Collection**: elle s'étend du XVIe siècle (William Dobson, mais également Holbein et Anton van Dyck, qui travaillèrent en Angleterre) au XIXe siècle. L'œuvre de William Turner préfigura la peinture impressionniste.

Les préraphaélites, exposés dans les salles 16 et 17, sont des must et plus particulièrement, "Beata Beatrix" de Dante Gabriel Rossetti et "Ophelia" de sir John E. Millais (d'autres tableaux de la confrérie préraphaélite sont exposés au V & A). Les salles 28-46 abritent la **Modern**

Collection, qui comporte un grand nombre d'œuvres de format mondial de Degas (le bronze de sa petite danseuse), van Gogh, Gauguin, Matisse, et également des œuvres du Bloomsbury Group, des cubistes, des abstraits et des surréalistes.
Millbank, SW 1
Tél. 071/887 80 00 (renseignements automatiques 877 80 08)
Métro: Pimlico
Lu-sa 10 h – 17 h 50, di 14 h – 17 h 50
Entrée gratuite, expositions spéciales £ 4.00-5.00

Victoria et Albert Museum ■ B 5

Avec ses 40 000 m², ce musée, qui figure parmi les plus visités de Londres, est certainement le plus grand musée art déco du monde. L'accent est mis sur l'esthétique des objets de la vie quotidienne, des services aux verres, en passant par les meubles, les couverts, les chambres complètement aménagées anglaises ou étrangères, ainsi qu'une ancienne officine de pharmacie. Le V & A

Le Natural History Museum est le temple des sciences et des techniques.

VIVRE À LONDRES

s'efforce de reconstituer le mode de vie au quotidien jusque dans ses moindres détails. Les collections ne se limitent pas à la Grande-Bretagne ou à l'Europe. Elles se rapportent également au Proche-Orient et à l'Extrême-Orient. La **Jones Collection** est superbe. Elle reflète l'art de vivre français, avec ses meubles, dont certains ont appartenu à Marie-Antoinette, ses tissus d'ameublement et ses tapis, ses tableaux et ses instruments de musique de la période rococo.
Cromwell Road, SW 1
Métro: South Kensington
Lu-sa 10 h – 17 h 50
Di 12 h – 17 h 50
Entrée gratuite

Wallace Collection　　■ **C 3**
Sans conteste, la plus belle sélection d'art français en dehors de l'Hexagone. La collection d'objets rares est très éclectique. Tous ces chefs-d'œuvre proviennent d'une collection privée. Ils furent rassemblés à Hertford House, construite entre 1776-1788 pour le duc de Manchester. Les œuvres "se terminent" au XIXe siècle. Le premier étage abrite les plus belles pièces: gigantesques tableaux de Boucher, vues de Venise de Canaletto et de Guardi, ainsi que des chefs-d'œuvre des Ecoles flamande et hollandaise (Peter Paul Rubens, Rembrandt, Meindert Hobbema).
Le rez-de-chaussée abrite des sculptures, des miniatures, des armes, des porcelaines, des faïences et des terres cuites, datant essentiellement de la Renaissance italienne.
Hertfold House, Manchester Square, W 1
Métro: Bond Street
Lu-sa 10 h – 17 h
Di 14 h – 17 h
Entrée gratuite

STOP

Museum of the Moving Image Celui qui s'intéresse au cinéma, à la télévision et à l'histoire de la pellicule trouvera ici de quoi satisfaire sa curiosité. Dans cet endroit, qui se targue d'être le plus grand musée du genre, on passe deux heures aussi fascinantes qu'instructives. South Bank, SE 1, Métro: Waterloo. Tous les jours 10 h – 18 h, dernière entrée à 17 h. Entrée: £ 5.50, enfants £ 4.00　　■ E 4

Galeries

Anthony D'Offay ■ C 3
Importantes expositions d'excellente qualité, consacrées aux artistes anglais contemporains. Occasionnellement des œuvres de grands maîtres, en collaboration avec Christie's.
9 Dering Street, W 1 (rue latérale de Bond Street)
Tél. 071/4 99 41 00
Métro: Bond Street
Ma-sa 10 h – 17 h 30
Prix d'entrée variable

Argenta
Cette galerie expose des bijoux de style. Elle s'efforce de donner de nouvelles impulsions à la bijouterie. Les créations de l'orfèvre allemande Elke Storch y sont exposées en permanence.
82 Fulham Road, SW 3
Tél. 071/5 84 44 80
Métro: Fulham Broadway

Electrum ■ C 3
Cette galerie, créée en 1971, est considérée comme la galerie de bijoux la plus expérimentale du monde. De plus en plus en vogue chez les jeunes orfèvres et stylistes qui y présentent leurs œuvres.
21 South Molton Street, W 1
Tél. 071/6 29 63 25
Métro: Bond Street

Hayward Gallery ■ D 4
Galerie d'art moderne dont les expositions temporaires sont organisées par l'Arts Council. Importantes expositions, souvent internationales, également de jeunes artistes britanniques et étrangers.
Belvedere Road, SE 1
Tél. 071/9 28 31 44
Métro: Waterloo
Lu-di 10 h – 18 h, ma et me 10 h – 20 h

Entrée: au minimum £ 5.00, enfants £ 3.50. Il arrive que la galerie soit fermée durant plusieurs semaines entre deux expositions.

Photographer's Gallery ■ D 3
La meilleure galerie londonienne pour les expositions photographiques. Expositions temporaires de divers photographes (le prince Andrew y a également exposé ses photos). Librairie et petit café.
5-8 Great Newport Street, WC 2
Tél. 071/831 17 72
Métro: Leicester Square
Ma-sa 11 h – 17 h
Entrée gratuite

Stephany Hoppen-Gallery
Une des plus intéressantes galeries privées de peinture, ouverte aux artistes contemporains d'Angleterre, de Belgique ou d'Amérique – partout où la propriétaire découvre l'art créatif et insolite, avec une touche d'humour. Elle possède également une filiale à New York.
1 Walton Street, SW 3
Tél 01/589 36 78
Métro: South Kensington
Entrée gratuite

Whitechapel Art Gallery
Qui aurait pu croire qu'en aussi peu de temps une galerie installée au milieu des taudis d'East End aurait réussi à se faire une telle renommée et à donner de nouvelles impulsions à l'art moderne? La galerie, créée entre 1897 et 1899 par C. Harris Townsend dans le style art-nouveau, expose des œuvres de Picasso, Julian Schnabel et Lucio Fontana.
80 Whitechapel High Street, E 1
Tél. 071/377 01 07
Métro: Aldgate East
Tous les jours sauf le lu 11 h – 17 h et le me 11 h – 20 h
Entrée: £ 3.50, enfants £ 1.75
Fermé le mardi

Depuis que quelques chefs ont remis à l'honneur les recettes britanniques traditionnelles, il s'avère que la cuisine anglaise n'est vraiment pas mauvaise.

Actuellement, on peut faire son choix parmi toute une série d'excellents restaurants – authentiquement anglais. Les restaurants anglais, et surtout londoniens, ont profondément changé au cours de ces dernières années. De nouvelles lois ont fait table rase des anciennes traditions: les pubs ne ferment plus l'après-midi (les sceptiques y voient le début de la décadence de l'humanité). Dans les restaurants, il est désormais possible d'obtenir du vin ou de la bière après 15 heures, à condition qu'ils accompagnent un repas. A Londres, on trouve à nouveau des cafés, des bistrots, des brasseries et même des crêperies. Ne vous attendez pas à trouver du café et des croissants (ou de la pâtisserie) dans n'importe quel débit de boissons, mais plutôt dans les restaurants ouverts du matin au soir.

L'embarras du choix

Dans la ville, la majorité des restaurants naviguent sous pavillon étranger. Rares sont les pays

Manger chinois dans un cadre original: parfaitement possible à Chinatown.

dont l'art culinaire n'est pas représenté, à la grande joie de tous les gourmets. On peut également se réjouir de la grande diversité des restaurants qui proposent des spécialités de poisson.

A l'heure du déjeuner, il est très chic d'entrer dans un bar à huîtres en vogue pour y déguster quelques coquillages.

Au restaurant

Si vous envisagez de dîner au restaurant, il est conseillé de réserver une table, surtout si vous avez opté pour un restaurant à la mode: "table for two" (or three). Au restaurant, attendez que le garçon vienne s'occuper de vous. Il vous emmènera généralement au salon où vous prendrez l'apéritif en parcourant la carte (menu: prononcez menju). Vous y trouverez des entrées (starters) chaudes ou froides, suivies par le plat principal (main dish). Les pommes de terre et les légumes préparés de différentes façons font l'objet d'une rubrique distincte. Vous choisirez également un dessert à la carte, à moins que vous ne préfériez le chariot de desserts (trolley) qui vous proposera des fruits, des compotes ou plusieurs sortes de pâtisserie. Si vous n'êtes pas insomniaque, vous terminerez par un poussecafé et quelques tasses de café. Le repas est presque toujours accompagné de vin – il est également possible d'obtenir de l'eau minérale.

Réservations

Au restaurant, la coutume veut que le client demande au garçon de lui expliquer la composition de certains plats proposés à la carte. Le "Restaurant Switchboard", qui est ouvert tous les jours de 9.00 à 20 h 00, pourra vous aider dans le choix d'un restaurant. Il se charge même de réserver une table, si vous le souhaitez.

Tél. 8 88 80 80

Pourboire

Durant de nombreuses années, le pourboire (10-15 %) n'était pas systématiquement compris dans l'addition. Si la situation a changé, tous les restaurants n'appliquent pas encore la réforme. Si vous interrogez le garçon à ce propos, il se perdra en conjectures. Si la carte n'indique pas "service charge included", demandez au garçon le montant du "service charge" au moment de régler l'addition. Si le personnel s'est montré prévenant, vous pouvez arrondir le montant de la note en sa faveur.

Catégories de prix

Les prix se rapportent toujours à un menu, sans boissons, T.V.A. et pourboire compris.

Classe de luxe: à partir de £ 50

Classe de prix élevée: à partir de £ 30

Classe de prix moyenne: à partir de £ 15

Classe de prix inférieure: à partir de £ 6

VIVRE À LONDRES

Restaurants

Anwar's ■ C 2
Petit restaurant en libre-service, large éventail de plats végétariens, spécialités de riz, curry de légumes, gâteaux de maïs. Certains habitués fréquentent Anwar's depuis plus de 25 ans, ce qui n'a vraiment rien d'étonnant.
64 Grafton Way, W 1
Tél. 071/3 87 66 64
Métro: Warren Street
Pas de réservation
Toujours ouvert
Classe de prix inférieure

Blue Elephant
Un restaurant thaïlandais aménagé dans un style très exotique. Ici, vous mangerez sous les palmiers et les plantes tropicales. La clientèle est également très intéressante. On y rencontre régulièrement des artistes. Si vous ne parvenez pas à vous décider, optez pour le Banquet Menu.
4-6 Fulham Broadway, SW 6
Tél. 071/3 85 65 95
Métro: Fulham Broadway
Réservation indispensable
Fermé le sa midi
Classe de prix élevée

Bombay Brasserie ■ A 5
Elle figure parmi les restaurants les plus beaux et les plus luxueux de Londres. On se croirait dans un mess d'officiers à la grande époque des Indes. Comme on peut s'y attendre, la clientèle est smart, élégante, distinguée et aisée. La carte propose des spécialités de Goa et de Bombay, mais également des mets originaires d'autres régions d'Inde.
Courtfield Close, Courtfield Road, SW 7
Tél. 071/3 70 40 40
Métro: Gloucester Road
Réservation indispensable
Classe de prix moyenne

Café Fish ■ C 4/D 4
A la fois, restaurant, bar à vin, bar et café. Excellent menu, ambiance animée et cosmopolite. Coin non fumeur.
39 Panton Street, SW 1
Tél. 071/9 30 39 99
Métro: Piccadilly Circus
Classe de prix moyenne

The Canteen
Le plus récent des restaurants où l'ambiance, les mets et le cadre sont en parfaite harmonie. Les prix sont raisonnables. La formule a été inventée par la vedette de cinéma Michael Caine et l'enfant prodige du monde culinaire Marco Pierre White, les propriétaires des lieux.
Unit G4 Harbour Yard
Chelsea Harbour, SW 10
Métro: Fulham Broadway
Tél. 071/351 73 30
Classe de prix moyenne

Deal's restaurant
La carte a des accents américains. Le restaurant appartenant à Lord Lichfield et Lord Linley connaît un énorme succès. Originaux, les Do It Yourself Deals, où le convive cuit lui-même crevettes, lanières de bœuf et filets de poulet sur une pierre chaude. Clientèle jeune, musique sonore, ambiance détendue. Possibilité de garer sa voiture dans le garage.
Harbour Yard, Chelsea Harbour SW 10
Tél. 071/3 52 58 87
Métro: Fulham Broadway
Ouvert tous les jours
Classe de prix moyenne
Filiale à Soho: 14-16 Foubert's Place, W 1
Métro: Oxford Circus

The English Garden ■ B 5
Tout le charme d'une maison champêtre. Ambiance particulière-

ment agréable. Mets délicats: crêpes, foie gras, poisson poché. Petites portions, nourriture fine et originale.
10 Lincoln Street, SW 3
Tél. 071/5 84 72 72
Métro: Sloane Square
Réservation indispensable à l'heure du dîner
Ouvert tous les jours
Classe de prix élevée

La Famiglia

Restaurant italien, spécialités toscanes. Lieu de rencontre très couru où il faut être vu. La bonne humeur du personnel fait plaisir à voir. En été, le repas est servi au jardin. Avec un peu de chance, vous rencontrerez le patron, Alvaro le philosophe. Mets délicats, carte variée.
7 Langton Street, SW 10
Tél. 071/3 51 07 61
Métro: Fulham Broadway
Réservation indispensable
Ouvert tous les jours
Classe de prix moyenne

Farringdon's

Situé au cœur de l'ancienne ville, près de Holborn Viaduct. On y sert des mets typiquement anglais dans les caves éclairées à la bougie. La viande y est succulente. Les poissons sont très fins.
A recommander.
41 Farringdon Street, EC 4
Tél. 071/2 36 36 63
Métro: Farringdon
Fermé le sa midi et le di
Classe de prix moyenne

La Fenice

Idéal après une promenade dans Holland Park ou après avoir flâné dans les marchés aux puces de Portobello Market. Splendide restaurant moderne. Décor à l'italienne. Il faut absolument goûter les pâtes. Bons vins italiens.
148 Holland Park Avenue, W 11
Tél. 071/2 21 60 90
Métro: Holland Park
Fermé le lu midi et le di
Classe de prix moyenne

Food for Thought ■ D 3

Un des restaurants végétariens les plus populaires de Covent Garden, très fréquenté à l'heure du lunch. La carte change tous les jours. Les mets sont délicieux et originaux, riz complet servi en abondance, grande variété de salades, potages, puddings.
31 Neal Street, WC 2
Tél. 071/8 36 02 39
Métro: Covent Garden
Ouvert tous les jours
Classe de prix inférieure

Hsing ■ B 2/B 3

Restaurant chinois moderne avec vue sur le canal de Little Venice. Cuisine cantonaise ou pékinoise ou encore nouvelle cuisine chinoise, portions abondantes. Si vous n'aimez pas les mets de la carte, le chef vous mitonne un plat sur mesure.
451 Edgware Road, W 1
Tél. 071/4 02 09 04
Métro: Edgware Road
Fermé le di
Classe de prix moyenne

Joe Allen ■ D 3

Style américain et moderne, très en vogue chez les yuppies, les jeunes cadres dynamiques et ambitieux. La carte géante est exposée au mur. Le soir, les acteurs viennent casser la croûte ici. Musique sonore, parfois cabaret improvisé.
13 Exeter Street, WC 2
Tél. 071/6 36 06 51
Métro: Covent Garden
Ouvert tous les jours
Classe de prix moyenne

Kerzenstüberl ■ C 3

Cuisine germano-autrichienne dans un environnement rustique, service en cuivre et cruches en céramique. Plats très copieux. Spécialités de la maison: chevreuil, soupe de bœuf et goulash. Le soir, les propriétaires Herbert et Ilse interprètent des chansons populaires. Situé au milieu d'une rue piétonnière.
9 St Christopher's Place, W 1
Tél. 071/4 86 31 96
Métro: Bond Street
Fermé le di
Classe de prix élevée

Langan's Brasserie ■ C 4

A réussi à rester populaire durant de nombreuses années tout en garantissant la qualité de sa cuisine. Ses clients font régulièrement la une des journaux. L'acteur Michael Caine, le copropriétaire, y a sa table. Les clients branchés s'installent au rez-de-chaussée, ceux qui n'ont pas envie d'être vus prennent leur repas à l'étage.
Stratton Street, W 1
Tél. 071/4 93 64 37
Métro: Green Park
Réserver longtemps à l'avance
Classe de prix élevée

Memories of China ■ C 5

Créé par Ken Lo, le célèbre auteur de livres de cuisine chinoise. La carte est une invitation au voyage à travers toutes les régions de la Chine culinaire.
On peut goûter les nouvelles spécialités de Ken.
67-69 Ebury Street, SW 1
Tél. 071/7 30 77 34
Réservation nécessaire
Fermé le di
Classe de prix élevée

Planet Hollywood ■ D 3

Bruyante, vivante, une foule d'admirateurs est agglutinée devant la vitrine, dans l'espoir d'y voir Sylvester Stallone, Bruce Willis ou Arnold Schwarzenegger.
Pizzas, hamburgers, salades originales.
Service rapide, classe de prix moyenne et choix énorme de très bons petits plats (forte concurrence avec le Hard Rock Café à Hyde Park Corner).
13 Coventry Street, W 1
Tél. 071/287 10 00
Métro: Piccadilly Circus
Tous les jours 11 h – 1 h
Classe de prix moyenne

STOP

Tate Restaurant. Si la visite de la collection Turner vous a ouvert l'appétit, déjeunez au restaurant. Les spécialités anglaises telles que le rosbeaf et les omelettes y sont servies avec élégance. Découvrez également les splendides fresques. Tate Gallery, Millbank, SW 1, tél. 071/8 87 88 77, métro: Pimlico, lu-sa 12 h – 15 h , classe de prix moyenne

109 Queensgate ■ A 4/A 5
Bistrot très fréquenté au rez-de-chaussée. Bon restaurant au sous-sol. Seuls les membres peuvent y réserver une table. Il vous faudra patienter dans le cadre agréable du bar. Public jeune, cuisine du terroir.
190 Queensgate, SW 7
Tél. 071/5 81 56 66
Métro: Gloucester Road
Ouvert tous les jours
Classe de prix moyenne

San Lorenzo ■ B 5
Son intérieur, sa situation et surtout sa clientèle font de ce restaurant l'un des établissements les plus branchés de Londres. On y voit régulièrement la princesse de Galles et d'autres personnalités. Le carte ne manquera pas de séduire les clients soucieux de leur ligne. La maison n'accepte pas les cartes de crédit.
22 Beauchamp Place, SW 3
Tél. 071/5 84 10 74
Métro: Knightsbridge
Réservation vraiment indispensable
Fermé le di
Classe de prix élevée

Simpson's-in-the-Strand
■ D 3/D 4
Un bastion de la cuisine traditionnelle anglaise, les recettes datent de l'année 1848. Au menu, les incontournables steacks, kidneys and mushroom pudding, stewed rabbit in cream sauce, etc.
100 Strand, WC 2
Tél. 071/8 36 91 12
Métro: Charing Cross
Ouvert tous les jours
Classe de prix élevée

Suntory ■ C 4
Excellent restaurant japonais: teppan yaki, kaisaki, sushi, etc.
72-73 St James's Street, SW 1
Tél. 071/4 09 02 01

En règle générale,
les pubs ferment à 23 h.

Tagoon ■ D 3
On y sert des spécialités marocaines. Couscous et bastella sont les spécialités du patron. Le joli restaurant se trouve à quelques pas des théâtres. Excellente ambiance.
12 Upper St Martin's Lane, WC 2
Tél. 071/8 36 72 72
Réservation recommandée
Fermé sa midi et di
Classe de prix moyenne

VIVRE À LONDRES

Cafés et salons de thé

Rien ne vaut l'hôtel du Ritz pour sacrifier au rituel du thé de cinq heures. Malheureusement, il faut y réserver des semaines à l'avance et les jeans n'y sont pas admis. Les salons, où vous pourrez déguster un thé accompagné d'une pâtisserie, ne manquent pas à Londres.

Benedicte
Après une promenade épuisante dans les magasins de Kensington, il vaut la peine de s'arrêter ici pour déguster une tasse de café ou de thé, accompagnée d'un délicieux morceau de gâteau au chocolat.
106 Kensington High Street, W 8
Tél. 071/9 37 75 80
Métro: High Street Kensington

Café Laville
Surplombant un canal du quartier résidentiel de Maida Vale, l'endroit est fréquenté par de nombreuses personnalités. On y sert les meilleurs sandwiches de la ville. Le gâteau du patron est un véritable délice.
453 Edgware Road, W 2
Tél. 071/7 06 26 20
Métro: Edgware Road
Lu-sa 9 h – 23 h
Di 10 h – 19 h

Café Royale ■ D 3
Au XIXe siècle, Oscar Wilde venait y rencontrer ses amis.

TOPTEN 5 Actuellement, le rez-de-chaussée est un café de style européen. Le restaurant, qui se distingue par ses meubles de style, se trouve au premier étage.
Le service y est remarquable.
68 Regent Street, W 1
Tél. 071/4 37 90 90
Métro: Piccadilly Circus

The Fifth Floor ■ B 4
Excellente cuisine anglaise. Au cinquième étage du grand magasin "Harvey Nichols".
Knightsbridge, SW 1
Tél. 071/2 35 52 50
Tous les jours 12 h – 15 h et 19 h – 23 h

Fortnum & Mason ■ C 3, D 4
Le "Fountain Restaurant" reste l'endroit par excellence où l'on vient prendre le thé et regarder les passants.
Le splendide décor rococo a fait place à un style plus dépouillé, mais l'ambiance y est unique.
Il faut absolument goûter les originales gaufres aux noix et au sirop d'érable ainsi que les merveilleuses glaces. Entrée par le magasin ou par Jermyn Street.
181 Piccadilly Circus, W 1
Tél. 071/7 34 80 80
Métro: Piccadilly Circus
Thé lu-sa 15 h – 18 h , petit déjeuner 8 h – 12 h

Inn on the Park
Ambiance et service soigné, sur un fond de piano.
Park Lane, W 1
Tél. 071/4 99 08 88
Métro: Hyde Park Corner

Patisserie Valerie
La maison possède deux succursales, toujours bondées. Elle est réputée pour son excellent cappucino, ses pâtisseries et ses en-cas.
44 Old Compton Street, W 1 ■ D 3
Métro: Leicester Square
Lu-ve 8 h – 20 h, sa 8 h – 19 h, di 10 h – 18 h

215 Old Brompton Road, SW 3 ■ A 5
Tél. 071/8 23 99 71
Métro: Earl's Court
Lu-sa 7 h 30 – 19 h 30
Di 9 h – 18 h

Richoux

Les inconditionnels de cette maison ont le choix entre trois succursales. Le cadre est en harmonie complète avec la tenue vestimentaire de la clientèle.
A Knightsbridge, il n'est pas toujours facile d'y trouver une place à l'heure du déjeuner.

86 Brompton Road, SW 1 ■ **B 4**
Tél. 071/5 84 83 00
Métro: Knightsbridge
Lu-sa 8 h 30 – 21 h 30
Di 10 h – 21 h 30

172 Piccadilly, W 1 ■ **C 4**
Tél. 071/4 93 22 04
Métro: Piccadilly Circus
Lu-Sa 8 h 30 – 21 h 30,
Di 10 h – 23 h

41 South Audley Street, W 1 ■ **C 3**
Tél. 071/6 29 52 28
Métro: Bond Street
Lu-sa 8 h 30 – 23 h ,
Di 10 h – 23 h

Savoy ■ **D 3, E 3**

Chic et très british.
Le thé est servi de 15 h à 17 h 30. Il est prudent de réserver.
Strand, WC 2
Tél. 071/8 36 43 43
Métro: Aldwych

Searcy's Loose Bar ■ **B 4 / B 5**

Excellente cuisine anglaise ou internationale.
136 Brompton Road, SW 3
Tél. 071/8 23 80 19
Métro: Knightsbridge
Tous les jours déjeuner et dîner
Di jusqu'à 17 h

The Square ■ **C 4 / D 4**

Cuisine anglaise répondant parfaitement aux désirs de la clientèle internationale.
32 King Street, St James's, SW 1
Tél. 071/8 39 87 87
Métro: Piccadilly
Di-ve lunch: 12 h – 15 h et 18 h – 23 h 45, di jusqu'à 22 h

Tea-time dans le cadre prestigieux du Savoy

VIVRE À LONDRES

Pubs

Les Public Houses ne sont plus fermées l'après-midi, ce qui met fin à une tradition vieille de 70 ans. Mais tous les pubs ne sont pas ouverts sans interruption de 11 h à 23 h. Le dimanche après-midi, le patron doit fermer son établissement durant quelques heures. A Londres, il y a environ 7 000 pubs et leur histoire est généralement à l'image du passé mouvementé de la capitale britannique.
Les fraudeurs et les pirates utilisaient les mystérieuses River Inns sur les rives de la Tamise pour y cacher leur magot, avec la complicité des serveurs.
Heures d'ouverture: lu-sa
12 h – 23 h, di 12 h – 15 h et
19 h – 23 h
Presque tous les pubs sont interdits aux enfants.

The Anchor Bankside ■ E 4

L'archétype du vieux pub anglais: poutres au plafond, foyer, cuivres, plafond bas. Ce pub du XVIe siècle figure parmi les plus anciens et les plus originaux de Londres. A l'origine, il se trouvait entre le célèbre Globe Theatre de Shakespeare qui brûla en 1614 et la Clink Prison. L'illustre linguiste et lexicographe Dr. Samuel Johnson, était un habitué de la maison (la "Dr. Johnson Room" est dédiée à cet homme remarquable).
Possibilité de prendre le déjeuner et le dîner dans le restaurant attenant au pub.
34 Park Street, SE 1
Tél. 071/4 07 30 03
Métro: London Bridge

The Bulls Head

En 1642, ce pub était le quartier général des troupes d'Oliver Cromwell.
On y joue aux "darts" (fléchettes) sur un fond de musique.
La célèbre détrousseuse Moll

Lieu de rencontre traditionnel: le Chelsea Potter

Cutpurse aimait à s'y retrouver. Son fantôme hante encore les lieux.
15 Strand-on-the-Green, W 4
Tél. 081/9 94 06 47
Métro: Gunnersbury

The Bulls Head
Un des meilleurs et des plus anciens jazz-pubs, contrairement à ce que laisserait supposer l'architecture de style victorien. Concerts de jazz tous les soirs, le dimanche à l'heure du déjeuner.
Bon plats.
373 Lonsdale Road, SW 13
Tél. 081/8 76 52 41
Métro: Kew Bridge
Entrée £ 3.00-7.00

King's Head and Eight Bells ■ B 6
Vieux de plus de 400 ans.
Aménagement ancien et plancher de bois.
On y sert une excellente bière ainsi qu'un assortiment complet de salades et d'en-cas.
50 Cheyne Walk, SW 3
Tél. 071/3 52 18 20
Métro: Sloane Square

Prospect of Whitby
Le plus ancien River-pub de Wapping, vieux de plus de 470 ans. Actuellement, un bistrot très animé. Jazz et blues.
Autrefois, on pendait les malfrats devant les fenêtres du pub. Le juge Jeffries, appelé le "hanging judge" y cassait la croûte en assistant aux exécutions.
57 Wapping Wall, E1
Tél. 071/481 10 95
Métro: Wapping

Chelsea Potter ■ B 6 , C 5
Point de rencontre des "trendy people".
119 King's Road, SW 3
Métro: Sloane Square

Bars à vin

Ils apparaissent partout. Appelés "watering place" par les yuppies, ils se situent à mi-chemin entre le pub traditionnel et le restaurant.

Bill Bentley's Wine Bar ■ B 5
Endroit branché fréquenté par la jeunesse dorée. Au premier étage, on trouve un très bon restaurant de poisson. Dans le bar, d'excellents vins français. Le bar à huîtres sert des en-cas.
31 Beauchamps Place, SW 1
Tél. 071/5 89 50 80
Métro: Knightsbridge
Fermé le di

El Vino ■ E 6
Le bar à vin quasi légendaire dans Fleet Street, où les visiteuses peuvent désormais se faire servir au comptoir. Principalement fréquenté par des journalistes. Ambiance enfumée, mais intéressante.
47 Fleet Street, EC 4
Tél. 071/3 53 67 86
Métro: Black Friars
Fermé le sa, di

The Wine Gallery
Bar à vin avec galerie d'art et jardin. En-cas originaux, classe de prix moyenne. Il faut manger pour pouvoir commander de l'alcool.
49 Hollywood Road, SW 10
Tél. 071/3 52 75 72
Métro: Earls Court/West Brompton

Vivre à Londres

Lexique

A

ale: bière traditionnelle anglaise
applejuice: jus de pomme
asparagus: asperge

B

bacon: lard
beef: bœuf
beer: bière
boiled: bouilli, poché
bottle: bouteille
bread: pain
Brussels sprouts: choux de Bruxelles

C

cabbage: chou
carrot: carotte
cauliflower: chou-fleur
celery: céleri
cereals: céréales
champaign: champagne
cheddar: fromage au goût de noisette
cheese: fromage
Cheshire: fromage piquant
chicken: poulet
chocolate: chocolat
chop: côtelette
cider: cidre
cod: cabillaud
coffee: café
cooked: cuit
corn: maïs
cucumber: concombre
cutlet: côtelette

D

decaffeinated: décaféiné
draught beer: bière au fût
dry: sec (vin, sherry, champagne)
duck: canard
dumplings: petits beignets, boulettes de viande

E

eel: anguille
egg: œuf

F

figs: figues
fish'n'chips: poisson frit et frites
french beans: haricots
fried: frit
fruit juice: jus de fruit

G

game: gibier
garlic: ail
gateau: gâteau
grape: raisin
gravy: bouillon de viande

H

haddock: aiglefin
ham: jambon
herbs: fines herbes
honey: miel
horseradish: raifort
hotch-pot(ch): hochepot

J

jam: confiture, gelée

K

kidney: rognons

L

lager: bière légère
lamb: agneau, mouton
leek: poireau
lemonade: citronnade
lentils: lentilles
lettuce: salade, laitue
liquor: liqueur
liver: foie
lobster: homard
loin: longe

M

mackerel: maquereau
marmalade: confiture à l'orange
meat: viande
minced meat: viande hachée
mineral water: eau minérale
mint sauce: sauce à la menthe
mushroom: champignon
mustard: moutarde

O

onion: oignon
oysters: huîtres

P

pancake: crêpe
parsley: persil
pastry: pâtisserie
pear: poire
pheasant: faisan
pie: pâté, tourte
pint: 0,57 l
potatoes: pommes de terre
poultry: volaille

R

raspberries: framboises
rib: côtes
roast: rôti
roll: petit pain

S

salad dressing: vinaigrette
scallop: coquille St-Jacques
scones: petits pains au lait
sea-food: fruits de mer
shrimps: crevettes
sirloin: aloyau
slice: tranche
smoked: fumé
sole: sole
spinach: épinards
spirits: spiritueux
starter: entrée
steamed: à la vapeur
stewed: à l'étouffée
Stilton: fromage bleu
stout beer: bière brune forte
strawberries: fraises
sweets: confiseries

T

tart: pâtisserie
tea: thé
trifle: soufflé aux fruits
trout: truite
turkey: dinde

V

veal: veau
vegetable: légume
vinegar: vinaigre

Au Portobello Market, on trouve presque de tout.

Londres et le shopping sont indissociables. La plupart des touristes y recherchent surtout des antiquités.

Flâner dans un marché d'antiquités est passionnant en raison de la diversité de l'offre et de la foule. Les prix ont malheureusement grimpé en flèche. Pour faire de bonnes affaires, n'hésitez pas à marchander juste avant l'heure de fermeture.

Evidemment, les articles typiquement britanniques sont en vogue: les tweeds écossais, les chandails en laine vierge et les cachemires, mais les gadgets insolites et modernes sont également très prisés.

Les magasins spécialisés ont la cote: par exemple le "Tie Rack" où l'on ne trouve que des cravattes et des tissus, le "Sock Shop" qui ne propose que des chaussettes et tout ce qui habille les pieds et les jambes, le "Knickerbox" où l'on ne vend que des sous-vêtements de marque exclusive, dans toutes les matières, de toutes les formes et de toutes les couleurs. Parmi les incontournables, "Kites", qui vend des cerfs-volants du monde entier, ou "Buttons" (des boutons de toutes les formes et de toutes les couleurs) sont toujours aussi prisés.

Les rues commerçantes les plus populaires sont: **Knightsbridge, Brompton Road, Regent Street, Oxford Street, Sloane Street, Beauchamp Garden, King's Road, Kensington High Street, Piccadilly, Jermyn Street**, ainsi que la très huppée **South Audley Street** à Mayfair.

Il y a évidemment **Bond Street** et son prolongement **New Bond Street**. La vieille rue date de l'époque des Tudor, la nouvelle a déjà 250 ans. On n'y trouve que des articles chers et exclusifs.

Les marchés aux puces et aux antiquités de Portobello Road, Petticoat Lane, Berwick Market, Camden Lock et Camden Passage (Islington) exercent également un charme irrésistible.

Heures d'ouverture

La plupart des magasins sont ouverts de 9 h (parfois 9 h 30) à 17 h 30. A Knightsbridge, on peut faire ses courses le mercredi jusque 20 h. Dans Oxford Street, les magasins restent ouverts le jeudi soir. Le samedi après-midi, les magasins ouvrent généralement leurs portes jusque 17 h 30, même si dans certains quartiers tels que Bayswater, Earls Court ou Soho, ils ne ferment parfois qu'à 23 h.

TOP TEN 4

Harrods: le temple de la consommation le plus célèbre de Londres

VIVRE À LONDRES

Antiquités

Alfies Antique Market
Serait le plus important marché d'Angleterre, avec plus de 370 brocanteurs: vieux disques et tourne-disques, étains, jouets, cartes postales et gadgets bon marché.
13-25 Church Street, NW 8
Métro: Edgware Road
Ma-sa 10 h – 18 h

Antiquarius ■ B 5 / B 6
Accessoires de mode, vêtements, verrerie et argenterie, porcelaines et babioles insolites.
135-141 King's Road SW 3
Métro: Sloane Square
Lu-sa 10 h – 18 h

Camden Passage
Certainement l'un des plus jolis marchés. Offre très diversifiée. Echoppes et petits magasins. Assez cher, mais très intéressant.
Islington High Street, N 1
Métro: Angel
Me et sa à partir de 7 h jusque l'après-midi

Gray's Antique Market ■ C 3
Plus de 200 vendeurs se partagent deux vastes immeubles de style victorien: cuir, tapisserie, armes, porcelaine, etc.
58 Davies Street, W 1
Métro: Bond Street
Lu-ve 10 h – 18 h

Lennox Money ■ D 3
Meubles coloniaux et anglais, anciennes étoffes chinoises et lampes.
93 Pimlico Road, SW 1
Métro: Sloane Square
Lu-ve 9 h 45 – 18 h,
sa 11 h – 14 h 30

Livres

Bell, Book and Radmall ■ D 3
On y trouve d'anciens livres d'excellente facture.
4 Cecil Court, WC 2
Métro: Leicester Square
Lu-ve 10 h – 17 h 30

Cinema Bookshop ■ D 3
Spécialisé dans toutes les publications relatives au cinéma et aux films.
13-14 Great Russell Street, WC 1
Métro: Tottenham Court Road
Lu-sa 10 h 30 – 15 h 30

Comic Showcase ■ D 3
Tout ce qui concerne la BD et les "comics".
76 Neal Street, WC 2
Métro: Covent Garden

Compendium
Littérature féministe et avant-gardiste. On y trouve également des ouvrages consacrés à la politique, l'astronomie et l'occultisme.
234 Camden High Street, NW 1
Métro: Camden Town
Lu-sa 10 h – 18 h, di 12 h – 18 h

Dillons The Bookstore ■ D 2
La librairie de l'université de Londres. Le choix est énorme. Catalogue électronique.
82 Gower Street, WC 1
Métro: Goodge Street

Foyles ■ D 3
Sans conteste la plus grande librairie du monde.
119 Charing Cross Road, WC 2
Métro: Leicester Square

Hatchards ■ D 3
Librairie sélect. Plusieurs succursales à Londres.
187 Piccadilly, W 1
Métro: Piccadilly Circus

Cadeaux	Enfants

Cadeaux

Asprey ■ C 3
Davantage pour le plaisir des yeux que pour celui du portefeuille. La gamme de gadgets somptueux va du fouet à champagne au porte-cigarettes serti de pierres précieuses.
165-169 Bond Street, W 1
Métro: Bond Street

The Crafts Council Shop ■ B 2
Large choix de cadeaux faits main, châles en soie, jouets.
Victoria & Albert Museum
Cromwell Road, SW 7
Métro: South Kensington

Gallery of London ■ C 4
Une boutique d'accessoires de mode masculine.
1 Duke of York Street, SW 1
Métro: Piccadilly Circus

The General Trading Company ■ B 4 / B 5
Articles insolites répartis en douze catégories. Gadgets orientaux, amusants pour la cuisine, cuillers à thé en argent, boîtes en cuivre. On y voit souvent des membres de la famille royale.
144 Sloane Street, SW 1
Métro: Sloane Square

Knutz ■ D 3
Nouveautés ou objets amusants. Bananes gonflables ou papier toilette imprimé de visages connus. Caverne d'Ali-Baba de gadgets.
1 Russell Street, WC 2
Métro: Covent Garden

Neal Street East ■ D 3
Marché oriental: livres, fleurs de soie, plumes, masques et lanternes de l'opéra de Pékin.
2 Neal Street, WC 2
Métro: Covent Garden

Enfants

Dans de nombreux grands magasins, on trouve d'excellents départements de vêtements et de jouets pour les enfants. Ils disposent parfois d'un coin de jeu.

Children's Book Centre
Livres, jouets, jeux pour tous les âges. Ce sympathique magasin est ouvert tous les jours.
237 Kensington High Street, W 8
Métro: High Street Kensington

Circus Circus
Vaste choix d'articles de fête: ballons, masques, chapeaux, miroirs magiques et des déguisements pour toute occasion.
176 Wandsworth Bridge Road SW 6
Métro: Parsons Green

Cottons ■ B 2 , C 3
Ce magasin propose des vêtements pour enfants en coton et en laine. Pour les enfants jusque 6 ans, on trouve des vêtements portant la griffe de stylistes et de couturiers renommés de France, Allemagne, Italie et Angleterre.
42 Chiltern Street, W 1
Métro: Baker Street

Hamleys ■ C 3
Le plus grand magasin de jouets du monde. Les six étages présentent les dernières nouveautés du monde des jeux. Prévoir assez de temps ou encore réserver l'endroit pour une visite privée, comme l'a fait Michael Jackson. On y trouve des jeux électroniques, des ordinateurs, des poupées, des trains, etc.
188-196 Regent Street, W 1
Métro: Oxford Circus

VIVRE À LONDRES

Journaux et revues

Dans toutes les artères principales, on trouve des succursales de W.H. Smith. Elles proposent un vaste choix de journaux nationaux et internationaux. Les marchands de journaux ont un choix important. Le dimanche, de nombreux journaux sortent une édition spéciale.

A Moroni & Son ■ D 3

Cette véritable institution existe depuis plus de 100 ans.
68 Old Compton Street, W 1
Métro: Leicester Square

Maroquinerie

A Londres, les vestes en cuir sont relativement bon marché. Achetez de préférence dans King's Road, Oxford Street ou Portobello Market. La même remarque s'applique aux chaussures. Pour les sacs, mieux vaut attendre les promotions ou les liquidations, même si certains grands magasins proposent de temps à autre des articles de bonne qualité à des prix concurrentiels.

Alimentation

Berwick Street Market ■ C 3

Marché ouvert du lu-sa 9 h – 17 h. A recommander pour ses fruits et légumes. On y trouve également d'excellentes spécialités.
Berwick Street, W 1
Métro: Oxford Circus

Fortnum & Mason ■ C 4

Les amateurs de spécialités exotiques ont frappé à la bonne porte. Même l'emballage est superbe. Si vous avez vraiment envie de vous faire plaisir, laissez-vous tenter par des spécialités culinaires.
181 Piccadilly, W 1
Métro: Piccadilly Circus

Harrods ■ B 4

Rayon alimentaire impressionnant et parfums délicats. Poisson frais des mers lointaines, huîtres prêtes à être dégustées, pain frais, vins du monde entier et légumes inconnus. Vous pouvez également faire suivre ses commandes.
Brompton Road, SW 1
Métro: Knightsbridge

Liberty's est réputé pour ses tissus imprimés.

Neal's Yard ■ D 3

Dans la paisible cour intérieure de Covent Garden, les adeptes de la macrobiotique trouveront des jus de fruit, du pain, des épices, des produits laitiers et des boissons non alcoolisées.
Off Short's Gardens, WC 2
Métro: Covent Garden

Marchés

Bermondsey Antiques Market ■ F 4

Le lève-tôt débusquera les plus belles pièces. N'hésitez pas à marchander.
Coin Longlane/Bermondsey Street, SE 1
Métro: London Bridge
Le ve à partir de 5 h

Camden Lock Market

Le meilleur jour est le dimanche: foule bigarrée et offre très diversifiée. Vêtements, bijoux faits main, antiquités, plantes, bougies, la dernière mode. S'il vous reste de l'argent, faites un tour en bateau sur le canal et prenez un café à bord.
Chalk Farm Road, NW 1
Métro: Camden Town

Petticoat Lane Market ■ F 3

Le dimanche matin, l'offre est particulièrement abondante. Articles ménagers, maroquinerie, verrerie. Malheureusement, les prix ont fortement augmenté. Les gens sont intéressants et l'ambiance est agréable.
Middlesex Street, E 1
Métro: Liverpool Street

Portobello Market

Toujours le terrain de chasse de prédilection des amateurs d'antiquités. On y trouve aussi de la maroquinerie, des vêtements excentriques, des chapeaux amusants, des en-cas exotiques. Pour voir et être vu. Au marché aux fleurs et aux légumes, on casse les prix à partir de 17 h. Sous Westway, large éventail d'articles de seconde main. Le marché n'est ouvert que le samedi.
Portobello Road, W 11
Métro: Ladbroke Grove

Mode

Aquascutum ■ C 3

Costumes de tweed, sportifs et élégants, mode anglaise classique.
100 Regent Street, W 1
Métro: Piccadilly Circus

Devant Hamley's, le cœur des enfants bat la chamade.

Browns ■ C 3
Un grand nom de la mode: les prix sont à l'avenant. Lors des soldes, on brade les prix. De nombreuses vedettes viennent y renflouer leur garde-robe.
23-27 South Molton Street, W 1
Métro: Bond Street

Designer Sale Studio ■ B 6, C 5
Celle qui cherche des vêtements de style à des prix abordables y fera d'excellentes affaires.
24 King's Road, SW 3
Métro: Sloane Square

Fenwick
Malgré sa situation, vêtements vraiment dingues, accessoires et produits cosmétiques.
Prix raisonnables et toujours le dernier cri.
New Bond Street
Métro: Bond Street

Gieves & Hawkes ■ C 3
Vêtements pour "gentlemen". Le prince Charles s'habille également ici. Pas très cher, mais d'excellente qualité.
1 Savile Row, W 1
Métro: Oxford Circus

Hyper Hyper
Sorte de marché où plus de 70 couturiers et stylistes vous proposent vêtements, bijoux, chaussures, chapeaux et autres articles à la mode.
26 Kensington High Street, W 8
Métro: High Street Kensington

Katherine Hamnett ■ B 4 / B 5
La mode est aussi extravagante que la styliste.
Du vêtement le plus classique aux créations les plus dingues.
Aquarium dans l'étalage.
20 Sloane Street, SW 1
Métro: Knightsbridge

Kanga ■ B 5
Les modèles colorés rendent les vêtements, les châles de soie et les costumes reconnaissables du premier coup d'œil. Le prince Charles utilise le nom Kanga pour s'adresser à Lady Dale Tryon, la propriétaire.

Lock & Co ■ C 4
C'est dans cette modeste demeure que réside depuis 1676, le meilleur chapelier du monde. Le carnet de clients tient du Who's Who des derniers siècles. Le chapeau boule est né ici.
6 St James's Street, W 1
Métro: Green Park

The Scotch House ■ B 4 / B 5
Vêtements en laine, en laine vierge et en cachemire. Clin d'œil fréquent à l'Ecosse.
2 Brompton Road, SW 1
Métro: Knightsbridge

Turnbull & Asser ■ C 4
Mondialement célèbre pour ses chemises en coton et en popeline.
69,71 & 72 Jermyn Street, SW 1
Métro: Piccadilly Circus

World's End ■ A 6, C 5
Le magasin excentrique de Vivienne Westwood où vous découvrirez une mode rigolote.
430 King's Road, SW 3
Métro: Fulham Broadway

Porcelaine et céramique

Constance Stobo
Ce joli petit magasin au coin de la rue propose de la céramique du Staffordshire, des pièces des XVIIIe et XIXe siècles, des animaux miniatures et du petit mobilier.
31 Holland Street, W 8
Métro: High Street Kensington

Portobello Road: une invitation à la farfouille

Pour le gentleman: Lock and Co

Waterford Wedgwood ■ C 3
Magasin aménagé avec goût.
158 Regent Street, W 1
Métro: Oxford Circus

Chaussures

Pied à Terre ■ B 5
Modieux, actuel et très original. Les branchés se doivent d'entrer dans l'une ou l'autre filiale de Pied à Terre.
122 Draycott Avenue, SW 3
Métro: South Kensington

The Small and Tall ■ B 3, C 3
Shoe Shop
Il accueille les femmes aux grands ou aux petits pieds.
Si la pointure n'est pas disponible, les chaussures sont fabriquées sur mesure.
71 York Street, W 1
Métro: Baker Street

Bijoux

De nombreux magasins ne vendent que des bijoux en or 9 carats, ce qui explique leur prix très concurrentiel. Dans Bond Street, on trouve des boutiques exclusives, mais si vous estimez qu'elles sont trop chères, vous aurez vite fait de trouver une alternative.

Butler & Wilson ■ A 6, B 5
De nombreux bijoux, à la ligne parfois audacieuse, sont devenus des classiques du genre.
189 Fulham Road, SW 3
Métro: South Kensington

Manguette
Petit magasin original et chic: bijoux fantaisie en pierres semi-précieuses, coraux, ambre et turquoise.
20A, Kensington Church Walk, W 8
Métro: High Street Kensington

Tissus

On peut se procurer du tissu dans tous les grands magasins. Dans les environs de Regent Street et de Savile Row, on trouve surtout du tissu de confection, du cachemire et d'autres jolies étoffes.

Grands magasins

Conran Shop ■ A 6, B 5
L'ancien bâtiment de Michelin vaut certainement une visite. Tout y est très original et intéressant.
Michelin House, 81 Fulham Road, SW 3
Métro: South Kensington

Fortnum & Mason ■ C 4
Un magasin d'alimentation très sélect: il faut absolument goûter les confitures et les gâteaux.
Une visite au "Fountain Restaurant" s'impose à l'heure du thé.

181 Piccadilly, W 1
Métro: Piccadilly Circus

Harrods ■ B 4
On y trouve absolument de tout. Ce qui n'est pas disponible peut être commandé. Epicerie fine absolument fantastique, rayon de fromagerie et spécialités incroyables, parfums du monde entier. On peut même y acheter des animaux domestiques. Au quatrième étage se trouve un café. Le plafond est en verre.
87-135 Brompton Road, SW 1
Métro: Knightsbridge

Liberty's ■ C 3
Dans cette maison créée en 1875 et ornée d'une façade de style Tudor, on rencontre toujours des gens qui sont venus acheter de splendides tissus imprimés , les "Liberty Prints". Egalement célèbre pour sa verrerie orientale, ses services de table, son argenterie et les bijoux anciens et ses superbes accessoires.
Regent Street, W 1
Métro: Oxford Circus

Selfridges ■ C 3
A recommander pour les articles ménagers et les vêtements de mode. Excellent rayon d'alimentation. Miss Selfridge est une boutique de vêtements pour les jeunes.
Oxford Street, W 1
Métro: Oxford Circus

Lingerie

Thomas Good ■ C 3
Le département Monogrammed Linen Shop propose des dessus de lits en dentelle, de très beaux draps, des nappes, etc. Un choix superbe de lingerie fine.

Janet Reger ■ B 5
Depuis des années, elle propose à ses clientes, dont la princesse Diana, des dessous en soie très chers.
2 Beauchamp Place, SW 3
Métro: Knightsbridge

La New Bond Street existe depuis plus de 250 ans.

Londres est une mégapole et sa vie nocturne n'a rien à envier aux autres mégapoles. Les noctambules du monde entier y trouvent leur compte.

Malgré la récession et la mort précoce de nombreuses productions théâtrales et musicales, la métropole fait toujours honneur à sa réputation de "swinging London" en offrant une grande diversité de spectacles et de divertissements de tout ordre. Jazz au pub "The Bull's Head", théâtre de plein air à Covent Garden, numéros d'effeuillage à Soho ou mégaconcerts rock ou pop au stade de Wembley. Il n'y a pas moyen de s'ennuyer à Londres. On y trouve de surcroît environ 45 théâtres classiques ou d'avant-garde, des cinémas, des spectacles musicaux ou de danse, de l'opéra au rock, en passant par la musique de chambre et le ballet, le reggae et la soul – tous les soirs. Dans les magazines municipaux "Time Out" et "City Limits", vous trouverez toutes les informations que vous cherchez. Malheureusement, de nombreux clubs de nuit sont exclusivement réservés aux membres et moyennant le paiement d'un prix d'entrée.

Londres: un paradis pour les noctambules

Bars

Le Pont de la Tour

Bar stylé offrant une vue fantastique sur Tower Bridge. On sert les cocktails à partir de 11 h 30. Les plus romantiques pourront déguster du vin français jusque 3 h sur la terrasse baignée par le clair de lune.
36d Shad Thames, Butlers Wharf, SE 1
Métro: Tower Hill

Quaglino's

Non seulement l'excellent bar où il faut être vu en compagnie de "trendy people", mais également le restaurant le plus populaire de Londres.
Mets délicieux. Peut accueillir 400 personnes.
Musique et live-jazz.
16 Bury Street, SW 1
Métro: Green Park

Cinémas

Les plus grandes salles se trouvent dans le West End, dans les environs de Leicester Square et de Piccadilly Circus. Souvent moins chers avant 17 h 00. Les **"repertories"** présentent généralement un choix aussi vaste qu'insolite. Consulter les programmes dans "Time Out" et "City Limits".

Centre Charles Peguy ■ D 3

Rien que des films français soustitrés à l'affiche.
16 Leicester Square, WC 2
Tél. 071/4 37 83 39
Métro: Leicester Square

National Film Theatre ■ E 4

Films classiques et étrangers rares.
Belvedere Road + Upper Road, SE 1
Tél. 071/9 28 32 32
Métro: Waterloo

Odeon Leicester Square

Représentations nocturnes de 23 h à 7 h.
Leicester Square, WC 2
Tél. 071/9 30 61 11
Métro: Leicester Square

Prince Charles ■ D 4

Passe pour être le cinéma le moins cher de Londres.
Leicester Place, WC 2
Tél. 071/4 37 81 81
Métro: Leicester Square

Scala ■ E 1

Un billet d'entrée permet généralement de voir plusieurs films.
275-277 Pentonville Road, N 1
Tél. 071/2 78 00 51
Métro: King's Cross

Cafés

Beach Blanket Babylon

Ce café aménagé par le styliste Tony Walter est très couru. Très anciens murs, en-cas à un prix très démocratique. Le jardin est aussi fréquenté que le café.
45 Ledbury Road, W 11
Métro: Westbourne Park

L'Escapade ■ B 5

Avant 23 h 00, l'endroit est banal, mais par la suite, musique brésilienne et excellentes boissons sont au rendez-vous. Public hétérogène, souvent international. Le café est très petit.
Draycott Avenue, SW 3
Métro: South Kensington

Concerts et salles de concert

Brixton Academy

Bonne musique reggae à la grande joie de tous les habitués.

211 Stockwell Road, SW 19
Métro: Brixton

Hammersmith Odeon

Ce palais du rock accueille généralement des vedettes internationales. Les prix pratiqués sont démocratiques.
Queen Caroline Street, W 6
Tél. 081/7 48 40 81
Métro: Hammersmith

100 Club ■ D 3

Bon conseil! Beaucoup de groupes, tant inconnus que célèbres. Le jazz sous toutes ses coutures. Public hétérogène.
Prix raisonnables.
100 Oxford Street, W 1
Tél. 071/6 36 09 33
Métro: Tottenham Court Road

Kenwood Lakeside

Les concerts n'ont lieu qu'en été. Le lac est splendide. De l'autre côté du lac, des orchestres interprètent de la musique classique. Réservation fortement conseillée.
Hampstead Heath, Northside
Hampstead Lane, NW 3
Tél. 071/4 13 14 43

Pizza on the Park ■ B 4

Sous la pizzeria, une salle de jazz, où il est évidemment possible de consommer une pizza. Agréable et intime, prix raisonnables.
Programme très varié. Public distingué.
11 Knightsbridge, SW 1
Tél. 071/2 35 55 50
Métro: Knightsbridge

Ronnie's Scott's ■ D 3

Au cœur de Soho, le meilleur jazz de Londres. Réservation indispensable. Nourriture délectable.
47 Frith Street, W 1
Tél. 071/4 39 07 47
Métro: Tottenham Court Road

Royal Albert Hall ■ A 4

Les proms, les concerts-promenades, qui ont lieu ici chaque année de juillet à septembre, constituent encore le meilleur festival de musique du monde. Dans le bâtiment circulaire, les œuvres interprétées appartiennent aussi bien au répertoire classique que moderne.
Kensington Gore, SW 7
Tél. 071/5 89 82 12
Métro: Knightsbridge

Royal Festival Hall ■ D 4

Toscanini disait que cette salle avait la meilleure acoustique du monde. Yehudi Menuhin, Vladimir Ashkenasy et d'autres virtuoses y ont donné des concerts.
South Bank, SE 1
Tél. 071/9 28 31 91
Métro: Waterloo

Town and Country Club

Petit club intime, mélange intéressant de pop et de rock. Des nouveaux groupes s'y lancent. On peut assister aux séances d'enregistrement pour la télévision.
9-17 Highgate Road, NW5
Tél. 071/2 84 03 03
Métro: Kentish Town

Discothèques

Fridge

A conseiller aux gens qui aiment la danse, le changement et la musique branchée. Le thème change chaque soir. Prix raisonnables.
Town Hall Parade, Brixton Hill, SW 2
Métro: Brixton

Hippodrome ■ D 3

Lieu de rencontre des noctambules. Style moderne. Le noir et l'argent dominent. Son et lumière et effets

Le Colisée de Londres abrite l'English National Opera.

laser très sophistiqués.
Très couru.
Charing Cross Road, WC 2
Métro: Leicester Square

Théâtre et opéra

Dans certains cas, il est indispensable de réserver ses places plusieurs semaines à l'avance pour les représentations théâtrales du West End. Il est possible de se procurer des tickets à des prix réduits chez **SWET TICKET BOOTH**, Leicester Square, 14 h 30 – 18 h 30.
Les "fringe theatres" présentent des pièces avant-gardistes ou expérimentales. Ces représentations sont souvent aussi sinon plus intéressantes que celles des grandes sociétés théâtrales.

Coliseum ■ D 3
L'English National Opera compte plus de 2 400 places. Le plus grand théâtre londonien. Programme intéressant.
St Martin's Lane, WC 2
Tél. 071/8 36 31 61
Métro: Leicester Square

Hampstead Theatre
Des acteurs célèbres y jouent généralement des pièces avant-gardistes avant qu'elles ne soient produites dans le West End.
Avenue Road, NW 3
Tél. 071/7 22 93 01
Métro: Swiss Cottage

ICA Theatre ■ D 4
D'inspiration alternative. Ballets, danse, parfois représentations théâtrales ou expositions. Vous pourrez écrire vos cartes postales dans la cafétéria.
12, Carlton House Terrace, SW1
Tél. 071/9 30 36 47
Métro: Charing Cross

Regent's Park Theatre
Représentations en plein air des pièces de Shakespeare durant les mois d'été. Possibilité de se restaurer durant l'entracte.
Regent's Park, NW 1
Tél. 071/4 86 24 31
Métro: Regent's Park

Royal Festival Hall ■ D 4
Un must pour les amateurs de ballet, car il forme la base de l'English National Ballet.
Il accueille parfois des troupes de ballet étrangères.

Royal National Theatre ■ E 4
Les trois scènes du bâtiment moderne ont jeté les bases des normes internationales du théâtre classique.
Upper Ground, South Bank, SE 1
Tél. 071/9 28 22 52
Métro: Waterloo

Royal Opera House ■ D 3
Covent Garden
Toutes les vedettes internationales de l'opéra y ont donné des représentations.
Bow Street, WC 2
Tél. 071/2 40 10 66
Métro: Covent Garden
Fermé en août

Royal Shakespeare ■ F 3
Company
Cette troupe doit sa réputation à ses magistrales mises en scène et interprétations des pièces de Shakespeare.
Barbican, EC 2
Tél. 071/6 38 88 91

St Martins ■ D 4
Depuis plus de 40 ans, on y joue "Mousetrap" d'Agatha Christie.
West Street, Cambridge Circus, WC 2
Tél. 071/8 36 14 43
Métro: Tottenham Court Road

Londres offre à ses visiteurs les promenades les plus diverses, qui dévoilent à chaque fois une nouvelle facette de cette ville au passé prestigieux.

Le présent et son prestige historique

Nous commençons notre promenade de 8 kilomètres à **Trafalgar Square**, sur les marches de la **National Gallery**, longue de 150 mètres. Nous admirons d'abord le square aménagé à la gloire de l'amiral Nelson et de la bataille navale qu'il a remportée sur la flotte franco-espagnole devant Trafalgar en 1805. Nuit et jour, la circulation se déverse sur Trafalgar Square, tandis que des centaines de pigeons mendient leur nourriture aux touristes qui s'y retrouvent ou s'installent sur les statues des généraux ou des lions de fer. A droite, nous apercevons la Maison du Canada, face à la Maison de l'Afrique du Sud, et à l'extrême gauche, l'église blanche de St Martin-in-the-Fields. Nous nous arrêtons quelques instants près de la **statue équestre de Charles I** et nous admirons la splendide vue sur le Whitehall. Nous entr'apercevons déjà Big Ben. Aux feux, nous traversons et nous empruntons le large Whitehall.

Le 10 Downing Street – résidence officielle du Premier ministre depuis 1732

PROMENADES

Nous passons en revue des siècles d'histoire anglaise. Vers 1514 se trouvait ici le palais de Whitehall (autrefois le palais de York), qu'Henri VIII confisqua en 1530 au cardinal Wolsey. Entre 1619 et 1625, l'architecte Inigo Jones y ajouta la splendide Banqueting House, la seule demeure de l'époque à avoir survécu à l'usure du temps.

Le quartier des bâtiments officiels

Dès la fin du XVIIe siècle, le quartier vit la construction de bâtiments officiels. Nous pouvons encore voir, à droite du ministère de la Marine, l'**Admirality** érigée en 1722-1726 par Thomas Ripley. C'est ici que la dépouille de lord Nelson fut exposée après la bataille de Trafalgar. Nous `admirons la majestueuse grille ornée d'hippocampes ailés, une œuvre de Robert Adam. Viennent ensuite la célèbre Guard House, construite entre 1750-1760 d'après les plans de William Kent, la caserne de la **Household Cavalry**, les troupes d'élite créées en 1661. Pendant la journée, on peut voir les soldats, vêtus de leur uniforme rouge écarlate et coiffés de leur casque brillant à plumes, assis pendant des heures sur leur cheval, toujours entourés d'une foule de visiteurs. Ensuite, on aperçoit de part et d'autre des 800 mètres de Whitehall les bâtiments sombres du ministère de la Défense,

qui ne furent achevés qu'en 1959. Quelque part sous ces pierres doit encore se trouver la cave à vin d'Henri VIII. Nous nous arrêtons quelques instants devant le **Cénotaphe**, le monument érigé en 1919 en souvenir de la guerre. Chaque année au mois de novembre a lieu une cérémonie commémorative. Devant le Cénotaphe, Whitehall devient **Parliament Street**. Nous tournons à droite et empruntons **Downing Street**, si du moins les policiers en faction nous y autorisent. Depuis 1732, le numéro 10 est la résidence officielle de tous les Premiers ministres britanniques. Les autres bâtiments officiels se succèdent jusqu'au **Parliament Square**, qui surgit devant nous, bordé de bâtiments qui figurent parmi les plus célèbres du monde. A gauche, nous apercevons immédiatement les **Houses of Parliament** avec la tour qui abrite **Big Ben**. Nous tournons à gauche et nous arrivons au **Westminster Bridge** après avoir emprunté **Bridge Street**.

Vue panoramique sur la rive de la Tamise

Nous passons devant l'impressionnante statue de la reine Boadicée, le symbole du patriotisme anglais. Elle affronta l'occupant romain, mais sa conquête furieuse et sa mise à contribution de Londres ne suffirent pas à chasser les troupes romaines. Après avoir franchi les deux tiers du pont, nous nous arrêtons quelques instants pour jeter un regard sur la Tamise: à gauche de la rive sud, nous apercevons le **County Hall** où siégeaient, il y a quelques années encore, les autorités municipales du **Greater London**. Plus à l'est, nous voyons les bâtiments modernes du **National Theatre** et du **Royal Festival Hall**. L'angle de vue dont nous jouissons en regardant vers la gauche a inspiré de nombreux poètes: William Wordsworth (1770-1850) lui a même dédié un sonnet. Nous nous retournons et contemplons les **Houses of Parliament**, qui se mirent dans les eaux de la Tamise par beau temps. Avec un peu de chance, vous verrez peut-être passer au même moment un bus à impériale rouge.

La route du St James's Park

Nous traversons la rue, revenons en direction de Big Ben et tournons à gauche pour admirer, devant les Houses of Parliament, la **statue équestre de Richard Cœur de Lion**. En face, nous voyons **Abbey Garden**, où se trouve une œuvre moderne de Henry Moore. Nous empruntons le passage protégé et nous nous dirigeons vers Westminster Gallery. Cela vaut certainement la peine de visiter **Chapter House** datant de l'année 1250. Au Moyen Age, le magnifique bâtiment octogonal, dont la coupole est soutenue par une splendide colonne de marbre, servait aux réunions du Parlement. Sous le Chapter House se trouve le musée de l'abbaye.

Nous tournons à gauche, nous empruntons **Victoria Street**, avant de prendre **Storey's Gate** à notre droite et tournons à gauche dans **Birdcage Walk**. Nous voici à présent dans le splendide **St James's Park**, avec son lac tout en longueur, un paradis pour les oiseaux. Sur le pont jeté au-dessus du lac, nous jouissons, à gauche, d'une vue imprenable sur **Buckingham Palace** et sur le **monument doré de la Reine Victoria**. Nous atteignons le **Mall**. Nous empruntons cette voie royale vers la droite pour nous diriger vers **Admirality Arch**. A gauche du Mall se trouvent **Clarence House**, la résidence de la reine mère, **St James's Palace** et **Marlborough House**. Nous découvrons à présent **Admirality Arch**, avec ses trois portes. Avant d'y arriver, nous tournons à droite en direction de **Waterloo Place** et de la splendide **Carlton House Terrace**, nous gravissons les marches et regardons le **Monument du duc de York** (érigé entre 1831-1834 par Benjamin Wyatt) et la frise antique de Carlton House.

Terminons par le pub

Voici deux parcours pour boucler la promenade: si vous êtes fatigué, vous tournez à droite vers **Pall Mall** et revenez vers Trafalgar Square. Vous arrivez bien vite à **St Martins Lane** où vous apercevez un merveilleux

PROMENADES

pub: le "Salisbury" de style victorien avec ses verres taillés, ses miroirs et ses nombreuses peluches. Ou tournez à droite à Pall Mall en direction de **Piccadilly Circus**. Dans ce cas, gardez votre droite et dirigez-vous vers Pall Mall en passant par **Haymarket**. Ensuite, vous vous dirigez vers **Trafalgar Square**. Vous y trouverez les pubs décrits dans la section précédente.

Durée: 4-5 heures

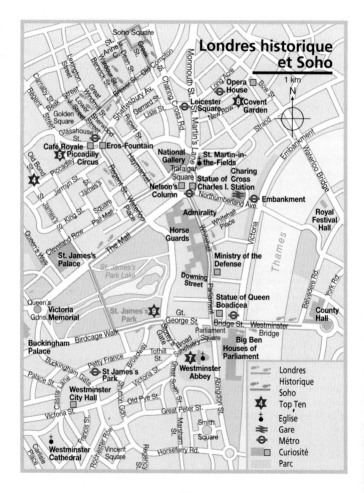

Londres historique et Soho

A vrai dire, Soho n'est pas aussi passionnante que sa réputation internationale ne le laisserait supposer. Si vous vous intéressez au passé et que vous êtes prêt à fermer les yeux sur les chancres de la pauvreté actuelle, vous découvrirez autour de **Shaftesbury Avenue** les nouvelles impulsions et orientations de la capitale britannique.

Creuset historique

De Piccadilly Circus à Soho Square

Le quartier se situe au cœur du **West End**, entre **Oxford Street**, **Regent Street**, **Shaftesbury Avenue** et **Sharing Cross**. On commence de préférence la promenade à **Piccadilly Circus** – en tournant le dos à la statue d'Eros sur la fontaine – en regardant vers Shaftesbury Avenue d'où partent un dédale de ruelles, où les sex-shops et les peep-shows se livrent une rude concurrence.

Tournez à gauche dans **Great Windmill Street**, à nouveau à gauche, puis à droite dans Lower James Street pour arriver à **Golden Square**, créé en 1673. Une statue de Charles II de 1720 trône au milieu des maisons et des jardins mal entretenus datant du même siècle.

Soho Square est plus intéressant. Il date de 1681. Nous arrivons à Soho Square en passant par Brewer Street, à l'extrémité nord-est, à droite et puis tout de suite à gauche, nous empruntons **Old Compton Street** et puis à gauche Greek Street. C'est ici que se trouve la plus jolie maison de Soho: The **House**

Carnaby Street, au cœur de Soho, exerce un attrait irrésistible sur les jeunes.

of **Barnabas**, construite en 1746, un luxueux hôtel de ville (du moins à l'époque) de style rococo et ses luxuriantes décorations sur les murs et les plafonds. De **Soho Square**, quelques pas nous emmènent vers un autre endroit historique: le **cimetière de St Anne**, accessible depuis **Dean Street**: un petit parc vert sur lequel donne la tour d'une église datant de 1801-1803, détruite durant la dernière guerre mondiale.

Odeurs et saveurs exotiques

Par **Wardour Street**, on accède à **Gerard Street** après avoir traversé **Shaftesbury,** et de là à **Chinatown**, où l'on trouve de très nombreux restaurants, des magasins, des supermarchés et de splendides cafés chinois.
Si vous préférez la cuisine italienne, française ou espagnole, empruntez **Brewer Street, Old Compton Street** ou **Berwick Street**, où vous trouverez des marchands de vins, des épiceries fines et d'excellents restaurants. Dans Berwick Street se tient tous les jours un excellent marché aux fruits et aux légumes (voir Achats). Le marché de **Rupert Street** est plus cher, mais encore plus dépaysant.
Partout, on trouve des plaques commémoratives de citoyens célèbres qui ont vécu dans la ville: dans **Meard Street**, où Frédéric Chopin donnait des concerts de piano, dans **Frith Street**, où Karl Marx a travaillé, ou dans **Marshall Street**, où le

peintre et poète William Blake est né. Si vous visitez Soho "by night", vous trouverez dans **Dean Street, Frith Street** et **Greek Street** d'innombrables pubs, restaurants et clubs.

Swinging London

Du **Golden Square**, vous arrivez par **Beak Street** dans **Carnaby Street** qui était le temple du modernisme dans les années soixante. Actuellement, il ne s'agit plus que d'une attraction touristique, ce qui ne signifie en aucun cas qu'elle ne vaille pas la peine d'être vue. Il ne vous reste plus qu'à choisir dans lequel des nombreux pubs de Soho vous terminerez votre promenade. Tout dépend de votre itinéraire et de l'état de vos pieds.

Durée: 2-3 heures

Ce spendide itinéraire fut proposé en 1977 suite aux vingt-cinq ans de règne de la reine. La présence d'un guide n'est pas indispensable: il suffit d'observer les panneaux mentionnant Silver Jubilee Walkway 1977, ornés d'une couronne stylée. La promenade fait 12 kilomètres, essentiellement sur les rives de la Tamise.

Sur les traces de la reine

La rive sud

La promenade commence à **Leicester Square**. Elle vous emmène à Trafalgar Square et par le St James's Park vers Great George Street. Ensuite, vous prenez à droite à St Margaret Street et vous accédez par Lambeth Bridge à la rive sud de la Tamise. Arrêtez-vous quelques instants devant **Lambeth Pa-**lace, le siège et la résidence particulière de l'archevêque de Canterbury. C'est dans ce gigantesque palais rouge du XIIe siècle que résident depuis 800 ans les archevêques de Canterbury. Plus au nord, vous verrez la County House, momentanément inoccupée, à proximité des splendides Jubilee Gardens qui furent également aménagés en 1977. Ensuite, nous poursuivons notre chemin en direction de **Waterloo Bridge**.

Le temple artistique de la Tamise

Nous restons sur la rive sud de la Tamise et nous arrivons au complexe moderne du **National Theatre** flanqué du **Museum of the Moving Image** (voir

Le quartier de la Bourse, à proximité de la cathédrale St Paul, est très animé.

PROMENADES

STOP, p. 60) et au **Royal Festival Hall**, Upper Ground, South Bank.

A quelques pas du Southwark Bridge, nous nous arrêtons dans un des plus anciens pubs de la rive sud de la Tamise, "The Anchor". Construit au XVIIIe siècle, ce pub était, à l'instar de nombreux autres, le repaire des fraudeurs et des pirates.

Nous nous dirigeons ensuite vers **Southwark Cathedral**, l'un des principaux ouvrages médiévaux de Londres: sa tour date des XIV-XVe siècles.

Les rénovations des Docklands

Derrière le London Bridge, nous arrivons aux **Docklands**, où, dans les années de haute conjoncture et sous l'impulsion de Madame Thatcher, on s'est affairé à rénover les vieilles maisons et les anciens entrepôts en les transformant en immeubles de bureaux et d'habitations luxueuses. Actuellement, le rythme des constructions et des transformations s'est ralenti, et l'endroit laisse une impression d'abandon. On le surnomme d'ailleurs "Ghost Town", la ville fantôme. Dans ce cadre, une visite au musée des horreurs, The London Museum (voir Curiosités), s'impose. Vous visiterez également le croiseur **HMS Belfast**.

Nous traversons Tower Bridge, tournons à droite et arrivons à St Katherine's Dock, où les anciens magasins, l'ancien Dickens Pub et les vieux petits ponts à l'allure hollandaise nous invitent à prendre quelques instants de repos.

De la Tour de Londres à Covent Garden

Près de l'extrémité nord de Tower Bridge se trouve la Tour de Londres (voir Curiosités). De là, nous nous dirigeons, en passant par Byward Street, vers All-Hallows-by-the-Tower, une église du VIIe siècle.

Nous passons devant la **Mansion House**, la **Banque d'Angleterre** et la Bourse (Stock Exchange), nous arrivons à la cathédrale St Paul (voir Curiosités), ensuite nous continuons en direction de **Ludgate Hill** et descendons vers **Fleet Street**, où, naguère, toute la presse quotidienne britannique était imprimée.

Nous longeons l'ancienne école de droit The Temple et Lincoln's Inn. Ensuite, nous empruntons Drury Lane et Bow Street pour nous rendre à Covent Garden et le Piazza où l'ambiance est très agréable.

Durée: 5-6 heures.

Ambiance villageoise aux portes de la ville

Nous commençons notre promenade d'environ 5 kilomètres au sommet de **Richmond Hill**. Il nous offre une vue unique sur les méandres de la Tamise, qui ont séduit grand nombre d'artistes de renom dont Constable, Reynolds, Turner et Oskar Kokoschka. Une promenade dans les jolis jardins près de Richmond Hill nous a fait oublier l'activité débordante de la ville. En traversant les jardins publics aménagés sur les flancs de la colline, nous arrivons à la rive où les pêcheurs et les habitants des bateaux profitent du calme et du silence.

Partant de Richmond Hill, nous devons nous rendre à **Richmond Park** en passant devant **Star and Garter**, un imposant bâtiment de briques rouges, devenu une maison de repos pour anciens combattants. Dans le vaste parc, nous apercevons des hardes de cerfs et de chevreuils qui ont toujours priorité sur les voitures. Au XVIe siècle, le parc était le terrain de chasse d'Henri VIII, qui résidait à Richmond. La légende veut que c'est ici qu'il apprit que sa seconde femme avait été décapitée dans la Tower.

Non-stop-shopping

A présent, nous quittons le Park et descendons Richmond Hill, où nous apercevons de nombreuses galeries d'art, des boutiques et des restaurants. Les magasins sont également ouverts le dimanche. Il est donc parfaitement possible de prévoir la visite

Richmond Hill offre une vue idyllique sur la Tamise.

PROMENADES

de Richmond durant le week-end.

Nous empruntons maintenant **King Street** en direction de **Richmond Green**. Le dimanche, on y joue au cricket et on organise des fêtes foraines. Nombreux sont ceux qui, par beau temps, viennent y prendre un bain de soleil.

Dans King Street, n'hésitez pas à aller farfouiller dans les librairies, par exemple "Open Book" ou dans la librairie pour enfants, en face.

Le siège du gouvernement des Tudor

Nous passons à présent devant **Maids of Honour Row** et ses splendides maisons de style géorgien. Puis nous nous dirigeons vers **Old Palace Lane**, où nous avons la possibilité de déjeuner au "The White Swan". En été, les repas sont servis dans le jardin. Quelques mètres plus loin, après avoir traversé une rue ombragée, nous longeons à nouveau la Tamise, en passant devant une demeure dont la plaque commémorative rappelle qu'Elisabeth I y est décédée en 1603 et que son père Henri VIII y était également mort en 1547. Richmond-upon-Thames se distingue des villes voisines de Kingston ou de Twickenham par ses relations séculaires avec la monarchie anglaise: Henri VII fit transformer un ancien manoir, qui avait été la proie des flammes, en palais dans cet ancien village de pêcheurs. Ses courti-sans et son personnel le suivi-rent. Henri VII fit du Old Palace de Richmond sa résidence principale. Du château ravagé par le feu au XVIIIe siècle, il ne reste plus que le porche en pierre, à proximité de Richmond Green, ainsi que les annexes, près du Old Palace.

Les Rolling Stones à Richmond

Ce respectable petit village aristocratique semble exercer une irrésistible attraction sur les vedettes du rock contemporaines. Aussi bizarre que cela puisse paraître, Mick Jagger et Keith Richard y ont acheté de splendides villas.

Une activité commerciale débordante

Nous regagnons à présent Richmond Green et traversons les sinueuses artères commerçantes en direction de **George Street**. Les étroites rues commerçantes pavées dont **Golden Court** et **Brewers Lane** sont très surprenantes: on y trouve des bijoux, des fleurs, des chocolats, des antiquités et des livres. Pour voir davantage d'antiquités, il faut se rendre à Duke's Yard dans l'étroite **Duke's Street**. Ici, nous tournons à gauche pour arriver à la petite gare, Richmond Station, où les trains et les métros ramènent les touristes vers Londres. Quelques mètres derrière Richmond Bridge, nous arrivons dans Petersham Road, qui borde la Tamise et nous amène directement à l'idyllique village de Petersham.

Excursion à Ham House

Nous poursuivons notre route vers la remarquable **Ham House**. Les trottoirs fléchés de Petersham Road nous conduisent à la demeure construite en 1610 par sir Thomas Vavsour. De 1637 à 1935, elle fut la résidence du comte de Dysart. Les spécialistes de l'époque estimaient que Ham House pouvait rivaliser au niveau de son élégance et de son style avec les plus belles maisons italiennes.

Le visiteur actuel aperçoit une maison parfaitement préservée: tableaux de Constable, Reynolds, sir Godfrey Kneller, splendides broderies et étoffes, magnifiques peintures au plafond. Le parc du XVIIe siècle, qui s'étend jusqu'à la Tamise, a également été préservé.

Téléphoner avant de visiter (081/9 40 19 50)

Durée: une journée

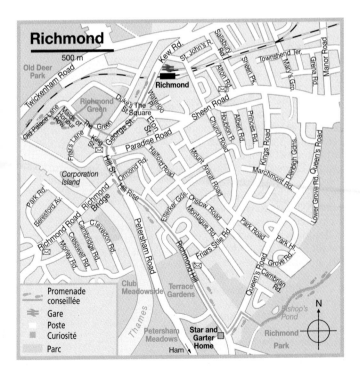

Richmond

PROMENADES

Jack l'Eventreur et Sherlock Holmes

Si vous aimez l'aventure ou si vous voulez découvrir de nouvelles choses d'une manière originale, vous pouvez prendre contact avec une des innombrables organisations qui se chargent des excursions les plus diverses.

C'est ainsi qu'il est possible de visiter Londres en suivant les traces de Jack the Ripper, Jack l'Eventreur et en ayant l'impression d'être Sherlock Holmes lancé à ses trousses. Mais peut-être vous intéressez-vous davantage à Dickens ou à Shakespeare? Ou encore aux chefs-d'œuvre architectoniques?

Leçon d'histoire au pub

Visiter les pubs qui bordent la Tamise réserve toujours de grandes surprises. Le suspense est garanti. On marche toujours vers l'est et on se laisse séduire par les pubs séculaires et par leur histoire obscure mais passionnante. Par exemple "The Anchor" ou "Angel" qui date du XVe siècle. "Prospect of Whitby" a une histoire peu commune: il y a plusieurs siècles, les fraudeurs et les pirates y cachaient leur magot. Tous ces endroits sont liés à des légendes, que l'on peut entendre à l'occasion d'une "pub walk" (réserver auprès de London Walks).

Les excursions thématiques sont évidemment très intéressantes: "London before Romans", où un spécialiste du Museum of London vous apprend tout sur les vestiges de l'antiquité classique. Si vous avez des nerfs d'acier, faites le circuit "Ghosts, Graveyards and Folklore" qu'il faut réserver auprès de Citysights of London. Départ près de cathédrale St Paul.

Les programmes proposés par London Walks, City Walks and Tours, Citysights of London ainsi qu'Architectural Tours sont aussi variés qu'insolites.

Architectural Tours
90-92 Parkway, NW 1
Tél. 071/2 67 64 97

Citysights of London
c/o Old Operating Theatre Museum
9a St Thomas's Street,
SE 1 9 RT
Tél. 071/9 55 47 91

City Walks and Tours
9/11 Kensington High Street
W 8
Tél. 071/9 37 42 81

London Walks Ltd.
P.O. Box 1708 , NW 6
Tél. 071/6 24 39 78

Les environs de Londres n'ont rien à envier au centre ville.
Quelques merveilleuses destinations se présentent à vous.

Les sources sulfureuses de la vallée d'Avon

Il y a 2 000 ans, les Romains découvrirent les vertus thérapeutiques des sources chaudes de l'Avon et établirent un camp dans la vallée idyllique. Actuellement, on peut encore voir les sources bouillonnantes dans le **Roman Bath**, les vestiges des voies romaines ainsi que les thermes, des pièces de monnaie, des statues des divinités et des objets usuels de l'époque. Mais ce n'est pas la seule raison de visiter Bath. Dans cette fascinante ville typiquement anglaise, l'architecture a été préservée d'une manière presque parfaite. Bath a longtemps rivalisé avec Londres. Au XVIIIe siècle, il était chic d'y passer quelques semaines par an. Le dandy Beau Nash y donnait de somptueuses fêtes. Les aristocrates et les princes suivirent son exemple. Ils venaient y faire la fête et boire l'eau aux propriétés thérapeutiques. A la même époque, les architectes, tels que John Wood sr. modelèrent le visage de la ville: on construisit **Royal Crescent, The Circus, Landsdown Crescent**, ainsi que les **Assembly Rooms**. Le **Pulteny Bridge** sur l'Avon est unique. Ses petits magasins et ses salons de thé rappellent le Ponte Vecchio à Florence. Devant l'église, sur **Abbey Churchyard**, il est agréable de se prélasser au soleil. En été, Abbey Square accueille les spectacles des danseurs, des musiciens et des magiciens. Chaque année, en juin/juillet, ont lieu, aussi bien à Bath que dans ses environs, des festivals de musique, de théâtre, des expositions, qui rassemblent des artistes venus du monde entier.

Il est assurément très difficile de ne pas succomber aux charmes de Bath.

Durée du voyage
188 km à l'ouest de Londres
En voiture, via la M4, en train via la gare de Paddington Station. (voir rabat arrière)

Informations
Bath Tourist Office
Abbey Churchyard
Tél. 02 25/46 28 31

Roman Bath, Pump Room
Ouvert tous les jours en été
9 h – 18 h
autrement 9 h – 17 h
Entrée: £ 3.80

Durée: prévoir 1 à 2 jours

Bath doit son nom aux thermes romains.

Ville balnéaire du Sussex

L'ancien village de pêcheurs de la côte sud de l'Angleterre doit sa célébrité à sa plage sablonneuse qui s'étend sur 10 km, au **Palace Pier**, ainsi qu'au **Pavillon Royal**. Le roi George IV fit ériger ce bâtiment exotique aux accents indiens dans les années 1784-1787 d'après les plans de l'architecte John Nash. Ses tours rondes brillent de mille feux. Les splendides objets d'art indien et chinois qu'elles abritent valent vraiment le détour.

Il est également très agréable de flâner dans les ruelles et les galeries de cette jolie cité balnéaire. En été, on a des chances d'y croiser la championne de tennis Steffi Graf, qui participe chaque année au tournoi de Brighton et qui adore farfouiller dans les magasins de la vieille ville.

Dans **Church Street**, on trouve le **Brighton Art Gallery and Museum**, où dominent le Jugendstil et l'Art Nouveau. Les pubs et les petits restaurants agrémentent une visite dans la vieille ville. Le **Brighton Aquarium** dans Madeira Drive vous livrera tous les secrets de la vie marine.

Durée du trajet
80 km au sud de Londres
En voiture via l'A23 ou la M23, en train en 55 minutes au départ de Victoria Station
(voir rabat arrière)
Durée: une journée

Informations
Tourist Information Centre
54 Old Steine
Tél. 02 73/32 37 55 et 32 75 60

Le West Pier de Brighton a été sérieusement endommagé par la tempête.

L'histoire de la ville remonte à l'époque des Romains. Au VIIe siècle, Canterbury devint le chef-lieu de l'Eglise anglaise. L'archevêque de Canterbury est le chef spirituel de l'Eglise anglicane.

La célèbre cathédrale fut érigée en 1067 par l'archevêque Lafranc sur les vestiges d'une abbaye datant de 597.

Malgré de nombreux incendies, le bâtiment actuel fut construit dans le style gothique tardif. Au XIIe siècle, Henri II assassina l'ancien chancelier d'Angleterre Thomas Becket devant l'autel. Son tombeau attira une foule de pèlerins des quatre coins du royaume.

La crypte de la cathédrale passe pour être la plus jolie et la plus grande d'Angleterre.

Le péristyle de la chapelle St

Le sanctuaire de l'Eglise anglicane

Gabriel est splendide. Il ne subsiste que quelques vestiges des anciens remparts de la ville.

Durée du voyage
75 km au sud-est de Londres. En voiture par la M 2 et la A 2. En train, 40 minutes au départ de Victoria Station ou de Charing Cross. (voir rabat arrière)

Informations
Tourist Information Centre
34 St Margaret's Street
Tél. 02 27/76 65 67

Durée: prévoir une journée

La cathédrale est le centre et le symbole de Canterbury.

La prestigieuse université fut fondée au XIIe siècle à l'époque d'Henri II, en même temps que **Christ Church Cathedral** qui possède le plus ancien clocher d'Angleterre. Le visiteur est immédiatement impressionné par l'architecture des bâtiments en pierre calcaire ocre. La **Tom Tower** domine l'entrée au-dessus du portail où une lourde cloche de 7 tonnes avertit tous les soirs à 21 h 05 par 101 coups qu'il ne faut pas oublier de fermer les portes.

Dans la rue principale, **Broad Street**, se trouvent quelques bonnes librairies et d'autres petits magasins. Le **Musée d'Oxford** retrace l'histoire de la ville.

Ambiance estudiantine dans une ville prestigieuse

Deux rivières offrent la possibilité d'un pique-nique ou d'une balade en canot: la Tamise, qui s'appelle Isis à Oxford, et la Cherwell, où il est possible de louer des canots et des radeaux (punts), par exemple auprès de **Cherwell Boats** à Bardwell Road.

Durée du voyage
A environ 80 kilomètres de Londres.
En voiture via l'A 40 et la M 40.
En train, en 60 minutes au départ de Paddington Station (voir rabat arrière)

Durée: excursion d'une journée

L'histoire de l'université d'Oxford remonte au XIIIe siècle.

EXCURSIONS

Un des plus beaux jardins d'Angleterre

Le château et son parc insolite furent achetés dans les années 30 par l'écrivain Victoria Sackville-West et son époux sir Nicholas Nicholson. A l'époque, il ne subsistait que très peu de ce splendide manoir érigé par sir Richard Baker à l'époque de la reine Elisabeth I (1558-1603) dans les forêts du Kent. Au XVIIIe siècle, le bâtiment accueillit les 17 000 prisonniers de guerre français. Victoria Sackville-West eut l'idée géniale de subdiviser le jardin de 2,5 hectares en petits jardins thématiques, qui continuent à enchanter les touristes.

La tour d'habitation et le bureau de Victoria Sackville-West sont devenus des musées.

Durée du voyage: Environ 80 km au sud-est de Londres.

En voiture via la A 207 et l'A 2 en direction de Rochester. Ensuite la A 229 et la A 274 en direction de Biddenden et ensuite prendre la direction de Sissinghurst En train, 80 minutes au départ de Victoria Station (voir le rabat arrière)

Informations
Tél. 05 80/71 28 50
Ma-ve 13 h – 18 h 30,
sa et di 10 h – 17 h
Fermé le lu
Uniquement avril-oct.
Entrée £ 4.50, di £ 5.00
Restaurant: ma-ve à partir de 12 h

Durée: au minimum une demi-journée

STOP

Qui n'a jamais rêvé de prendre le célèbre **Orient Express**? A Londres, ce rêve devient réalité, même pour les voyageurs qui ne désirent accomplir qu'un petit trajet.

Au départ de la gare Victoria: une coupe de champagne, un excellent repas et un service de rêve.

Réservations: Venice-Simplon-Orient Express Ltd., Sea Container House, 20 Upper Ground, SE 1; tél. 071/9 28 60 00, métro: Waterloo.

Shakespeare de A à Z

C'est dans cette ville que le plus célèbre poète anglais, William Shakespeare, vit le jour. C'est également ici qu'il écrivit ses pièces classiques, de "Macbeth" à "Hamlet" en passant par "Songes d'une nuit d'été", "Othello" et "Roméo et Juliette".

Stratford a été construite sur un site qui existait déjà à l'âge du Bronze. A l'époque de Shakespeare (1564-1616) Stratford était une ville de commerce florissante. A Stratford, le visiteur rencontre inéluctablement Shakespeare. Il découvrira **Anne Hathaway's Cottage**, la maison parentale de son épouse, ainsi que le **Birthplace Museum** dans Henley Street et la **Grammar School** médiévale, où le poète fut élève. La **Holy Church** abrite le tombeau de l'auteur et de sa famille.

Hormis la maison natale de Shakespeare, on trouve ici le bâtiment fonctionnel et moderne de la fondation Shakespeare, qui réunit toutes les curiosités relatives à l'enfant du pays.

La troupe de théâtre **"The Royal Shakespeare Company"** joue régulièrement au Royal Shakespeare Theatre près de l'Avon, où il est possible de faire du canotage.

Parce qu'une journée ne suffit pas pour tout visiter, il est conseillé de descendre au **Stratford House Hotel** qui dispose également d'un restaurant.

Stratford House Hotel
18 Sheep Street
Tél. 07 89/26 82 88
Classe de prix moyenne

Durée du voyage
Environ 160 km au nord-ouest de Londres. En voiture via la M 40 et la A 34. En train au départ de Paddington Station. Eventuellement une excursion combinée train/bus avec "Shakespeare Connection" au départ d'Euston Station (voir rabat arrière)

Durée: deux jours avec visite au Shakespeare Theatre, sinon 1 jour.

La maison natale de Shakespeare, le citoyen le plus connu de Stratford

La résidence de la famille royale

L'endroit, situé dans le vert Berkshire, est dominé par l'imposante silhouette du **château de Windsor**. L'imposant bâtiment gris fut construit, il y a plus de 800 ans, au sommet d'une colline. Au cours des siècles, il a été agrandi plusieurs fois. Le site occupe quelque 5 000 mètres carrés. Le château de Windsor est la résidence privée de la famille royale.

Les curiosités sont: la **chapelle St George**, les **State Appartments** avec leurs splendides collections d'armes, les tableaux de Rubens, Holbein, van Dyck, etc., et surtout le **Queen Mary's Doll's House**, une grande maison de poupée avec ses tableaux miniatures, son précieux mobilier ancien, ses livres à reliure en cuir et son ascenseur qui fonctionne encore toujours. Hélas, en novembre 1992, un incendie ravagea une grande partie de l'aile privée de la résidence royale. Les travaux de restauration sont actuellement en cours.

Hormis l'imposant château, Windsor permet au touriste de plonger dans le passé. Dans ses nombreuses ruelles pavées, telles que **Church Street** et **Market Street**, les restaurants aux lambris sombres (par exemple le **Drury House** de 1645) ne laissent aucun visiteur indifférent. Il fait très chic de se rendre à pied à Eton. Un pont pour piétons permet de franchir la Tamise depuis **Thames Street**.

Durée du voyage
Environ 30 km à l'ouest de Londres. En voiture par la M 4. En train, 45 minutes toutes les heures au départ de Paddington Station. Il existe un service de bus au départ de Victoria Station par la "Green Line". Départ toutes les heures, durée 75 min. Ou également les bus 701, 704, 726 ainsi que l'Express Service 700 de Victoria Coach Station, Eccleston Bridge (voir rabat arrière)

Renseignements
Le château
Ouvert tous les jours
10 h – 19 h 15,
oct.-mars 10 h – 16 h .
Entrée gratuite.

The State Appartments et Queen Mary's Doll's House
Avril-oct. Tous les jours 10 h 30 – 17 h
Oct-mars 10 h 30-16 h
Entrée: £ 4.00
Doll's House: £ 1.50 en sus
Fermé à la Noël et à Pâques

St George's Chapel
Lu-di après l'office
Entrée gratuite

Tourist Information Centre
Central Station
Tél. 07 53/85 48 00

Numéro d'urgence

Le numéro d'appel d'urgence **999** est gratuit à partir de n'importe quelle cabine téléphonique publique. Il permet d'appeler police secours, les pompiers et la police. Vous pouvez évidemment vous adresser aux bobbies, qui surveillent les rues de Londres et qui ne sont pas armés.

Population

De nombreux habitants de la métropole quittent la ville en raison des loyers exorbitants. C'est pourquoi Greater London ne compte qu'environ 7 millions d'habitants, parmi lesquels à peu près 900 000 étrangers. La Grande-Bretagne est une terre d'immigration et de nombreux immigrés s'installent à Londres. Il s'agit principalement de personnes venant de Trinidad, la Jamaïque, l'Inde, l'Afrique, le Pakistan et des pays du Commonwealth, en particulier le Canada, l'Australie et la Nouvelle-Zélande.

La majorité des Chinois sont installés à Chinatown.
La situation est la même que partout ailleurs: plus la crise économique est profonde, plus le racisme est virulent.
L'East End est fréquemment le théâtre d'actes de violence.
Pendant le Notting Hill Festival, la police est souvent débordée.

Camping

A **Tent City**, on peut soit planter sa propre tente, soit passer la nuit dans une immense tente collective.
Old Oak Common Lane, W 3
Tél. 0 81/7 43 57 08
Mai-octobre
Tarif: £ 4.00 la nuit

Animaux

L'introduction d'animaux sur le sol britannique répond à des normes extrêmement sévères. Les animaux domestiques sont obligatoirement

La police est souvent débordée pendant le Notting Hill Festival.

mis en quarantaine durant six mois aux frais du propriétaire. Même les certificats vétérinaires sont inutiles. L'introduction illicite d'animaux est sanctionnée par de lourdes amendes.

Représentations diplomatiques

Ambassade de Belgique
103 Eaton Square
London SW 1

Consulat de France
Cromwellroad 21
LW 7 2DQ

Douane

Depuis le 1er janvier 1993, la plupart des articles (alcool, alimentation, etc.) peuvent être importés en quantités illimitées en Grande-Bretagne. Les ressortissants de la Communauté européenne doivent emprunter les sorties de couleur bleue qui leur sont réservées dans tous les ports et aéroports anglais.

Economie

Londres semble passer aux mains des groupes étrangers. Le géant du mobilier Habitat fut racheté par IKEA, Harrods est devenu la propriété d'un Egyptien, l'hôtel Dorchester fut repris par un sultan du Brunéi et le célèbre Windsor Safari Park aurait été acheté par Legoland. Le nombre de demandeurs d'emploi augmente, un nombre croissant d'entreprises déposent leur bilan et la livre sterling ne cesse de se déprécier sur les marchés financiers internationaux. A Londres, la mauvaise situation économique a une incidence directe sur les ambitieux projets d'assainissement des Docklands. Des milliers de bureaux ou de maisons luxueuses ne trouvent pas acquéreur et les créanciers sont au bord de la faillite. La sortie spectaculaire des Britanniques du Fonds Monétaire Européen n'a pas permis de mettre

Londres, ville cosmopolite

fin à la récession. La fermeture prévue de 31 charbonnages britanniques ne fait qu'intensifier les conflits économiques et politiques et met le gouvernement Major sous pression.

Voltage

La tension électrique est de 240 volts, ce qui n'a aucune incidence sur les appareils belges ou français. En revanche, les prises de courant sont différentes et nécessitent donc l'utilisation d'un adaptateur, qui est généralement mis à disposition par l'hôtel.

Jours fériés

Le Vendredi Saint et le Lundi de Pâques
Bank Holidays (toujours le dernier lundi de mai et d'août)
May-Day (le premier lundi de mai)
Christmas Day (25 décembre)
Boxing Day (26 décembre)
New Year's Day (1 janvier)

Pourboire

Dans les restaurants, le service (service charge) est généralement compris dans le prix. Si vous désirez témoigner votre gratitude envers le personnel, vous pouvez laisser un pourboire.
Dans les taxis, le pourboire est important. Comptez au minimum 10% du prix de la course.
Pour les petits montants, par exemple £ 1.30, on arrondit à £ 1,50.
Dans les hôtels, le garçon d'étage reçoit au moins £ 0.50. La femme de chambre, selon la durée du séjour et les services rendus, peut recevoir jusque £ 5.00. Chez le coiffeur ou dans les salons de beauté, on donne également 10%.

Photographie

En principe, il n'y a pas de restrictions. Dans les pubs, les restaurants et les églises, on veillera à ne pas incommoder les autres visiteurs.

Les principaux billets de banque et pièces

Dans chaque grande artère, il existe un magasin de développement rapide. La chaîne BOOTS développe vos clichés en une heure.

Argent

La **Livre Sterling** est subdivisée en 100 pence. On trouve des pièces de 1, 2, 5, 10, 20, 50 p et £ 1 ainsi que des billets de 5, 10, 20 et 50 £.
Le **taux de change** est sujet à des fluctuations peu importantes. Lorsque l'on change de l'argent, il faut pouvoir mentionner une adresse à Londres, ou dans certains cas présenter son passeport.
Les **cartes de crédit** sont très utilisées en Grande-Bretagne. Les plus courantes sont American Express, Diners Club, Visa, Access et Eurocard.
Les **devises** peuvent être importées et exportées librement.
Les **banques** sont généralement ouvertes du lu au ve de 9 h 30 à 16 h 30. Certaines banques sont également ouvertes le samedi matin. La veille des fêtes, les banques ferment généralement à midi.
Les **bureaux de change** (Exchange) existent dans toutes les rues, certains sont ouverts 24 heures sur 24. Le taux de change pratiqué est généralement très désavantageux et les frais d'administration élevés.

Informations

British Travel Centre
12 Regent Street, SW 1
Tél. 071/7 30 34 88
Lu-sa 9 h – 18 h

London Tourist Information Centre
26 Grosvenor Gardens, SW 1
Lu-sa 9 h – 18 h

London Transport Travel Enquiry Offices
Donne des renseignements sur les métros et les bus.
55 Broadway, SW 1
Tél. 071/2 22 56 00

Vêtements

Il n'existe pas de prescriptions vestimentaires, sauf dans les restaurants sélects ou lors de galas. La même remarque s'applique aux représentations théâtrales.

Journaux et revues

Onze journaux paraissent à Londres tous les matins. L'après-midi, il y a encore deux éditions de l'"Evening Standard" qui donnent les toutes dernières nouvelles. Neuf journaux sortent le dimanche. L'Angleterre est le pays des lecteurs de journaux. Les magazines sont nettement moins nombreux. Dans toutes les grandes artères, on trouve de nombreux kiosques à journaux où l'on a parfois la chance de trouver des journaux et des revues en langue française. On peut également feuilleter les innombrables revues dans les succursales de la chaîne W.H. Smith implantées dans toutes les artères principales. Chez le marchand de journaux situé dans Old Compton Street, Soho, W 1, on trouve des journaux et des revues du monde entier. Dans le quartier d'Earl Court, dans Earl Court Road se trouve également une librairie internationale qui est ouverte tous les jours jusque 22 h au moins.

Soins médicaux

Adressez-vous à la réception de l'hôtel ou à l'hôpital, ensuite au service "Casualty" ou "Outpatients" où vous serez pris en charge gratuitement par le National Health Service, la Sécurité sociale nationale. Si vous appelez un médecin à l'hôtel ou à votre lieu de villégiature, il vous en coûtera £ 55.00 et £ 65.00 après 23 h. (Tél. 081/9 00 10 00). De nombreuses pharmacies restent ouvertes jusque 24 h, y compris le dimanche. Après minuit, il faut se procurer des médicaments à l'hôpital.

Naturisme

La seule plage réservée aux naturistes se trouve à Brighton.

Politique

Les tensions entre les trois grands partis politiques (Labour, Liberal Democrats et Conservatives) se sont encore accentuées depuis la fin de l'ère Thatcher.

L'engagement européen constitue la nouvelle pomme de discorde. Le Premier Ministre John Major s'est engagé en faveur de la ratification du Traité de Maastricht, qui n'est pas uniquement contesté en Grande-Bretagne. A ce propos, il ne doit pas uniquement affronter les membres de l'opposition, mais également une série de politiciens moins influents (back-benchers) et les Thatchériens de son propre parti.

On lui reproche toujours davantage son manque de poigne et la mollesse de ses prises de position. D'importants revirements politiques ont également ébranlé la confiance du public.

Postes

Le bureau principal situé à proximité de Trafalgar Square, 24 William IV Street, WC 2, est ouvert du lu au sa de 8 h à 20 h. Les bureaux de poste sont indiqués au moyen d'un panonceau rouge "Post Office". Ils sont ouverts du lu au ve de 9 h 30 à 17 h 30, le samedi généralement de 9 h 30 à 12 h 30. Vous glisserez vos lettres dans les imposantes bornes postales rouge vif ou encore dans la boîte "First Class & Abroad" des bureaux de poste. Jusqu'il y a peu, on ne pouvait se procurer des timbres que dans les bureaux de poste. Désormais, on trouve également des carnets de timbres chez les marchands de journaux (News Agents). Dans la plupart des bureaux de poste, on fait la file dans des couloirs.

Radio

La BBC dispose de cinq émetteurs, radio 1 diffuse de la musique rock et pop, radio 2 de la musique légère, radio 3 de la musique classique, radio 4 des débats, des documentaires et des nouvelles et radio 5 se consacre au sport et à l'éducation. En plus, l'auditeur anglais peut capter certaines radios commerciales et quelques radios pirates.

Documents de voyage

Pour entrer en Angleterre, il faut avoir un passeport ou un document d'identité en bonne et due forme. Les ressortissants de pays extérieurs à la CEE doivent également remplir un formulaire d'entrée. Même si les contrôles d'identité ont été supprimés depuis le 1 janvier 1993, la Grande-Bretagne s'est réservée le droit d'effectuer des contrôles sporadiques.

Climat

Le Gulf Stream influence favorablement le climat anglais qui est nettement meilleur que sa triste réputation pluvieuse ne le laisse supposer. La période la plus ensoleillée s'étend de la mi-mai à la mi-juin. Les mois d'été peuvent être pluvieux, alors que l'arrière-saison (septembre et octobre) réserve parfois d'agréables surprises. En hiver, les températures diurnes descendent rarement en dessous des 3°C.

Sport

L'année est jalonnée d'événements sportifs majeurs les courses de chevaux à Epsom, les internationaux de tennis à Wimbledon, mais également le football, le cricket, l'aviron et la Formule 1.

Manifestations sportives
The Derby
Epreuves classiques de galop, réservées aux chevaux d'élevage de trois ans, créées en 1780 par la duchesse Derby. Epsom, Surrey. Juin.

FA Cup Final
La grande finale de la Coupe d'Angleterre.
Wembley Stadium
Tél. 071/9 02 88 33
Mai

Grand Prix d'Angleterre
Grand Prix de Formule 1.
Brands Hatch (sur la M 20, direction Kent)

Henley Royal Regatta
Régates d'aviron sur la Tamise près de Henley.
Henley-on-Thames, Oxfordshire
Juillet

Horse of the Year Show
Ce concours de saut hippique a lieu au stade de Wembley.
Tél. 071/9 02 88 33
Octobre

Championnats internationaux de tennis d'Angleterre
Les meilleurs joueurs mondiaux s'y affrontent.
Church Road, Wimbledon SW 19
Tél. 071/9 46 22 44
Fin juin/début juillet

Oxford versus Cambridge Boat Race
Rencontre d'aviron traditionnelle entre les équipes des universités d'Oxford et de Cambridge sur la Tamise, entre Putney et Mortlake.
Samedi de Pâques, 14 h

Royal Ascott
Semaine hippique. Nombreux sont ceux qui viennent davantage pour voir la dernière mode ou la famille royale. L'événement mondain par excellence, mais également un important événement hippique.
Ascot, Berkshire
Juin

Langue

L'anglais est la langue maternelle de plus de 250 millions de gens dans le monde. C'est pourquoi, les Anglais ne s'appliquent pas à l'étude des langues étrangères. Ils s'attendent davantage à ce que les touristes s'expriment en anglais. Cependant, ne vous attendez pas à entendre parler l'anglais d'Oxford, mais habituez-vous aux sonorités rugueuses et étranges du dialecte Cockney.

Téléphone

Londres est subdivisée en deux réseaux locaux possédant chacun leur indicatif téléphonique: **Inner London** (071), **Outer London** (081). Malheureusement, on ne trouve presque plus de cabines rouges, sauf dans Bow Street ou Covent Garden. Les nouvelles cabines acceptent les télécartes (£ 20, £ 10, £ 4, £ 2, £ 1) et les pièces de monnaie. Les cabines **Mercury** sont moins chères que celles de British Telecom, mais elles n'acceptent que les télécartes. De très nombreuses cabines permettent de recevoir des appels. Les hôtels demandent souvent des suppléments exorbitants pour l'utilisation du téléphone. Il est donc recommandé de se procurer une carte et de téléphoner au départ d'une cabine.

Kiosque à journaux

Télévision

Les programmes de la **BBC 1** et d'**ITV** débutent tôt le matin par 'Breakfast Television'. Ensuite, ils diffusent un mélange de variétés et d'informations. Les principaux journaux télévisés sur BBC 1 débutent à 13 h, 18 h et 21 h. **BBC 2** diffuse principalement des émissions politiques, scientifiques et culturelles. **ITV** attire des spectateurs avec ses séries et ses films américains, ainsi qu'avec ses audacieuses productions maison. **Channel 4** est une chaîne commerciale à vocation culturelle.
La télédistribution permet actuellement de capter trente chaînes, le satellite de télévision européen ASTRA, 16.

Décalage horaire

En règle générale, il est une heure plus tôt à Londres qu'à Paris ou Bruxelles. Etant donné que le passage à l'heure d'été ou à l'heure d'hiver n'a pas systématiquement lieu à la même date que sur le continent européen, il se peut que les heures coïncident pendant quelque temps ou, au contraire, qu'il y ait une différence de deux heures. N'allez pas vous imaginer que toutes les horloges des églises et des bâtiments publics sont automatiquement mises à l'heure. Pour éviter toute erreur, n'oubliez donc pas de vous munir de votre montre.

Objets perdus

Si vous avez égaré un objet dans le bus ou le métro, il faudra vous rendre au **Lost Property Office**, 200

Baker Street, NW 1
Tél. 0 71/4 86 24 96
Lu-ve 9 h 30 – 14 h
Si une telle mésaventure vous arrive

dans un taxi, adressez-vous au **Taxi Lost Property**, 15 Penton Street, N 1
Tél. 071/8 33 09 96

	températures en °C		heures de soleil	jours de pluie
	jour	nuit	par jour	
Janvier	6,3	2,2	1,7	15
Février	6,9	2,2	2,3	13
Mars	10,1	3,3	3,5	11
Avril	13,3	5,5	5,7	12
Mai	16,7	8,2	6,7	12
Juin	20,3	11,6	7,0	11
Juillet	21,8	13,5	6,6	12
Août	21,4	13,2	6,0	11
Septembre	18,5	11,3	5,0	13
Octobre	14,2	7,9	3,3	13
Novembre	10,1	5,3	1,9	15
Décembre	7,5	3,5	1,4	15

Source: Deutscher Wetterdienst, Offenbach

INDEX

Published originally under the title "London" (Heidede Carstensen)
©1993 by Gräfe und Unzer Verlag GmbH, München.

© Zuidnederlandse Uitgeverij n.v.,
Aartselaar, Belgique, MCMXCIV. Tous droits réservés.

Cette édition par: Chantecler, Belgique-France
Traduction française: P. Bracaval
D-MCMXCIV-0001-329

Photo de couverture: Transglobe Agency
Cartes: Kartografie Huber

Photographies:
G.M. Cordes 4, 29, 34, 53, 93, 115;
R. Freyer 26, 31, 42, 59;
R. Gorgas 111;
U. Haafke 104;
H. Hamann 13;
K. Kallabis 5, 9, 17, 30, 38, 48, 50,
58, 62, 69, 75, 79, 82, 83, 95, 97;
srt Bild 78;
Timmermann Foto-Presse 2, 43, 44/45, 84;
Transglobe Agency 11, 21, 36, 54, 70, 102, 103, 105, 107;
E. Schwender 24, 25, 67, 73, 81, 110;
Silvestris Fotoservice/Harding 7, 87;
Jacinek 40, 47; Wagner 41;
Wurch 56; Heuwieser 89